СУМСКОЙ ХУДОЖЕСТВЕННЫЙ МУЗЕЙ

THE SUMY ART MUSEUM

АЛЬБОМ

КИЇВ
«МИСТЕЦТВО»
1988

ББК 85.101л6я6
С89

В альбоме представлены лучшие произведения живописи, графики, скульптуры западноевропейского, дореволюционного отечественного и советского искусства. Рассчитан на широкий круг любителей изобразительного искусства.

Автор-упорядник *С. І. Побожій*

С $\frac{4903000000-051}{М207(04)-88}$ Ку № 10—36—1988

ISBN 5—7715—0062—3

СУМСЬКИЙ
ХУДОЖНІЙ
МУЗЕЙ

ЗАХІДНОЄВРОПЕЙСЬКЕ
МИСТЕЦТВО

УКРАЇНСЬКЕ
ДОРЕВОЛЮЦІЙНЕ
МИСТЕЦТВО

РОСІЙСЬКЕ
ДОРЕВОЛЮЦІЙНЕ
МИСТЕЦТВО

РАДЯНСЬКЕ
МИСТЕЦТВО

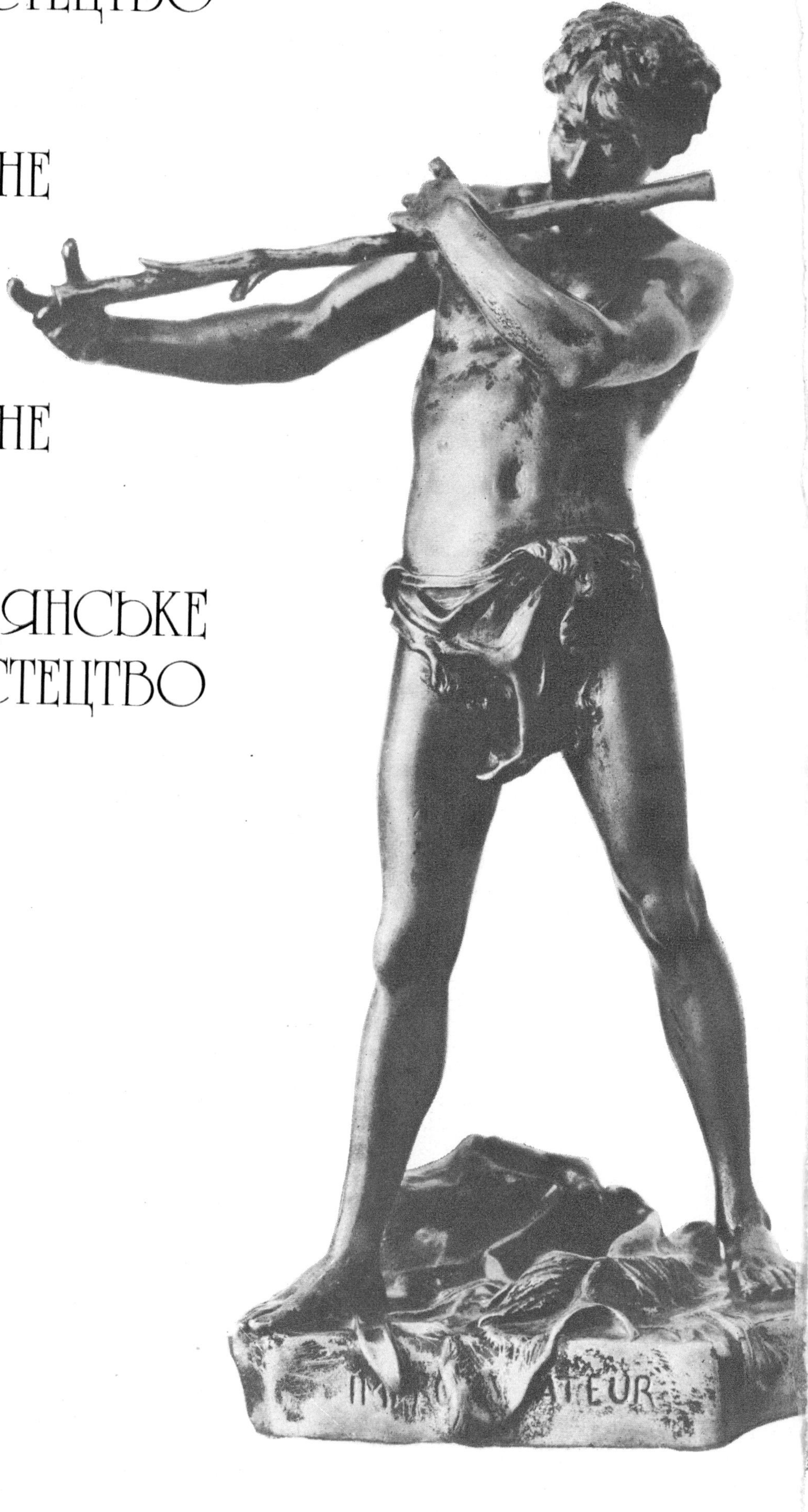

Ідея створення Сумського художньо-історичного музею виникла одразу ж після Великої Жовтневої соціалістичної революції. Вже тоді розпочала роботу комісія по збиранню музейних експонатів, а у 1920 році музей відкрив двері для відвідувачів. Заснування музею пов'язане з іменем його першого директора Н. Х. Онацького (1875—1940) — людини різнобічних обдаровань: художника, поета, педагога, музейного працівника. Завдяки його невтомній подвижницькій діяльності музей поповнився багатьма цінними експонатами. Поповнення колекції йшло різними шляхами, головним чином за рахунок націоналізованих приватних зібрань. Значне місце в ній зайняли твори з зібрання київського колекціонера О. Г. Гансена. Вже у 1927 році музей нараховував понад десять тисяч експонатів. Поряд з творами живопису, графіки та скульптури широко були представлені предмети декоративно-ужиткового мистецтва (понад чотири тисячі), старовинна зброя, речі, знайдені при археологічних розкопках, фотографії.

У 1939 році відбувся розподіл музею на художній і краєзнавчий. У передвоєнний час музей істотно поповнюється творами з найбільших зібрань країни. Крім екскурсійної і лекційної діяльності, тут влаштовується серія різноманітних виставок — «Історія книги», «Ліві течії у живописі», «Ювілей художника Рубенса», до 200-річного ювілею Академії наук, пам'яті українського мистецтвознавця Д. Щербаківського.

На початку Великої Вітчизняної війни зусиллями співробітників музею на чолі з його директором О. І. Маршала-Чаловською більшу частину колекції було врятовано: експонати вивезено до Новосибірська, де вони зберігалися разом з колекцією Третьяковської галереї. Частину зібрання, що залишилась, було пограбовано гітлерівцями.

6 лютого 1946 року Сумський художній музей відновлює свою роботу. У післявоєнні роки триває комплектування всіх його відділів. Значно поповнюється колекція творами художників з братніх республік, ведеться наукова робота по атрибуції творів, внаслідок якої стають відомі деякі імена авторів робіт, дати їх створення.

За останні роки музей влаштував кілька цікавих виставок, зокрема виставку, присвячену 110-м роковинам від дня народження засновника музею Н. Х. Онацького, виставку нових надходжень — своєрідний звіт про збиральницьку діяльність музею за останні роки. Виставки однієї картини та «Художник у провінції» розповіли не тільки про історію створення робіт, а й про майстерність художників-реставраторів, що відродили до життя унікальні твори живопису. До 100-річчя від дня народження одного з засновників української радянської графіки, нашого земляка Г. І. Нарбута, у музеї було проведено наукову конференцію.

У 1978 році музей одержав нове приміщення. У будинку колишнього казначейства, пам'ятнику архітектури XIX століття, розмістилася експозиція живопису, скульптури і графіки. Відділ декоративно-ужиткового мистецтва розгорнув свою експозицію в приміщенні колишньої Воскресенської церкви — пам'ятки архітектури XVII століття.

Сьогодні музей нараховує близько одинадцяти тисяч творів, що репрезентують дореволюційне українське та російське, радянське, зарубіжне і декоративно-ужиткове мистецтво. У фондах зберігається колекція нумізматики та російських і польських медалей.

Западноевропейское искусство

West-European Art

Ян ван Гойєн
Голландський пейзаж. 1651.
Фрагмент

ЗАХІДНОЄВРОПЕЙСЬКЕ МИСТЕЦТВО

Козроє Дузі
Концерт. 1850-і рр. Фрагмент

У відділі західноєвропейського мистецтва найповніше представлений італійський живопис. На його творах у загальних рисах можна простежити основні стильові ознаки мистецтва Італії XVII—XIX століть.

Характерні особливості венеціанської школи XVII століття з її конкретно-чуттєвим сприйняттям світу простежуються в роботі невідомого художника «Венера і Амур». Перенесення дії в інтер'єр, цілком конкретне трактування фігур перетворюють міфологічний сюжет на побутову сценку. Особливе місце у розвитку венеціанського живопису займала школа Якопо Бассано. «Скорботна богоматір» — робота одного з характерних представників цієї школи, чиє ім'я не дійшло до нас.

До взірців школи болонського академічного живопису XVII століття належить картина також невідомого художника «Жертвоприношення Авраама». Виникнення болонського академізму нерозривно пов'язане з формуванням нового художнього стилю бароккo. Контрасти світла й тіні, тонке моделювання форми — ознаки живопису цього напряму, представники якого володіли досконалою технікою, наслідуючи багато в чому прийоми майстрів Відродження.

Уявлення про демократичні тенденції в італійському мистецтві дає натюрморт невідомого художника кінця XVII — початку XVIII століття.

Римську школу живопису XVIII століття представляє «Пейзаж з водоспадом» Андреа Локкателлі, який відзначає природність освітлення і прозорий колорит. Полотна цього майстра високо цінувалися сучасниками за вишукану красу барв та гармонійне поєднання зображення людини і ландшафту. Картина невідомого художника «Пейзаж з рибалками» характеризує романтично-темпераментний живопис майстрів кола видатного генуезького живописця Алессандро Маньяско. Найвідомішим майстром у галузі архітектурного пейзажу був Джованні Паоло Панніні. Полотно «Руїни» невідомого художника його школи дає уявлення про її особливості. Картина «Міська площа» (1773) Бернардо Беллотто також свідчить, що її автор — віртуозний майстер архітектурних ансамблів. За влучним зауваженням О. Бенуа, «системою тіней і рефлексів майстер володіє з якоюсь бездоганністю, помилки чи хоча б слабості у перспективі йому невідомі».

М'якою гармонією барв приваблює полотно «Концерт» (середина XIX ст.) Козреє Дузі.

На противагу академічному і салонному живопису, у другій половині XIX століття розширюється коло художників, творам яких притаманне поетичне сприйняття світу. Правдивою передачею стану природи відзначаються роботи «Венеція» (1890) Гульєльмо Чарді і «Свято на березі» (1880) Алессандро ла Вольпе.

Мистецтво Фландрії XVII століття у музеї представляє «Пейзаж» Лукаса ван Удена — відомого фламандського художника, що розвивав традиції нідерландського пейзажу з його чітким розподілом на плани й умовним колоритом. «Сніданок» Гілліса ван Тільборха та «Мисливські трофеї» (1650-і рр.) Яна Фейта привертають увагу мистецтвом світлотіні, вишуканістю колориту й майстерною передачею фактурного розмаїття зображених предметів. Алегоричне полотно «Геркулес обирає життєвий шлях» (1660-і рр.) написане учнем Рубенса Теодором ван Тюльденом. Йому притаманні життєрадісна гармонія барв, прозорість і легкість колориту.

Зібрання голландського живопису різноманітне за напрямами і жанрами. Міхіль Янс ван Міревельт був визнаний не тільки при дворі штатгальтера, а й здобув собі славу у багатьох європейських монархів.

Ян Фейт
Мисливські трофеї. 1630-і рр.
Фрагмент

«Портрет військового» (1640-і рр.) у нашому зібранні написаний у період творчого розквіту художника. Образ портретованого відзначається суворою стриманістю. Значний інтерес являє картина «Руїни храму Бахуса» (1640-і рр.) Класа Пітера Берхема — одного з представників «італізуючого» напряму в голландському живопису. Стримана, вишукана колористична гама, в якій переважають холодні зеленувато-сині тони, притаманна роботі «Місячна ніч» (1643) Арта ван дер Нера — відомого майстра вечірніх, нічних і зимових краєвидів. Гордістю й окрасою музею є «Голландський краєвид» (1651) «найбільш національного з голландських живописців» Яна ван Гойєна. Невибагливий сільський мотив, написаний в зеленувато-сірій гамі, сприймається як узагальнений образ Голландії.

Провідним стильовим напрямом у мистецтві Франції XVIII століття було рококо. Нікола Ланкре — типовий його представник. Композиційна завершеність, теплий, насичений колорит відзначають його картину «Сцена в саду» (1730-і рр.). Разом з тим помітно, що Ланкре засвоїв від знаменитого представника рококо Антуана Ватто суто зовнішні, декоративні прийоми. «Вхід до Палермського порту» (1760-і рр.) належить пензлю Клода Жозефа Верне, автора численних морських пейзажів, яким притаманні риси декоративізму й класичної ідеалізації. Це варіант з грандіозного королівського замовлення — серії полотен із зображенням найголовніших портів Франції.

Робер Гюбер писав види з античними пам'ятниками, що сприяло захопленню у Франції античним мистецтвом. Однак його полотно «Руїни з аркою» (1786) уже втрачає свій суто археологічний характер — його відзначає поезія і одухотвореність.

Реалістичну лінію у французькому пейзажі XIX століття представляють роботи «Світанок на річці» Леона Ріше і «Сірий день» Шарля (?) Плессі — послідовників барбізонської школи. Вплив постімпресіонізму простежується у картині Поля Мадліна «Купальниці» (1920).

Колекція мистецтва Німеччини нечисленна. У ній виділяється постать Філіппа Петера Рооса, прозваного в Італії, де він провів усе життя, Роза да Тіволі. У своїх роботах він орієнтувався на голландський пейзаж, але переробляв їх на італійський манір, вносячи елементи декоративізму. Полотно «Грот з водоспадом» — характерний взірець його мистецтва. «Інтер'єр» (1785) Християна Штекліна типовий для цього художника, що писав головним чином архітектурні види, інтер'єри будинків і церков.

Колористичні пошуки відзначають марини шведського художника Карла Ларсона «Шторм» (1857) та норвезького майстра Юхана Мартіна Грімеллунна «Морський пейзаж» (1913).

Певний інтерес викликають твори польського живопису, що дають картину розвитку пейзажу кінця XIX — початку XX століття в польському образотворчому мистецтві. Полотна «Мальви» і «Рання весна» Яна Станіславського, митця, що багато років працював на Україні, невибагливі за мотивами, сповнені світла й повітря. Розкриттю образу людини-трудівника присвячено роботи «Рибалки» (1915) і «Баржа» Фелікса Вигжевальського.

Скульптура представлена у нашому музеї головним чином творами італійських і французьких майстрів, що працювали в другій половині XIX століття.

Художник кола Нікола де Ларжільєра. XVIII ст. Франція
Портрет юнака. Фрагмент

1
НЕВІДОМИЙ ХУДОЖНИК. XVII СТ. ВЕНЕЦІАНСЬКА ШКОЛА
Венера і Амур

2

ФІЛІПП ПЕТЕР РООС (РОЗА ДА ТІВОЛІ). ІТАЛІЯ
Грот з водоспадом

3, 4
БЕРНАРДО БЕЛЛОТТО (?). ІТАЛІЯ
Міська площа. 1773

5, 6
КОЗРОЄ ДУЗІ. ІТАЛІЯ
Концерт. 1850-і рр.

7
МІХІЛЬ ЯНС ВАН МІРЕВЕЛЬТ. ГОЛЛАНДІЯ
Портрет військового. 1630-і рр.

8

ХУДОЖНИК КОЛА НІКОЛА ДЕ ЛАРЖІЛЬЄРА

Портрет юнака

9

ЛУКАС ВАН УДЕН. ФРАНЦІЯ

Пейзаж

10
ТЕОДОР ВАН ТЮЛЬДЕН. ФЛАНДРІЯ
Геркулес обирає життєвий шлях. 1660-і рр.

11
ЯН ФЕЙТ. ФЛАНДРІЯ
Мисливські трофеї. 1650-і рр.

12
ЯН ВАН ГОЙЄН. ГОЛЛАНДІЯ
Голландський пейзаж. 1651

13
ЯН ВАН ГОЙЄН. ГОЛЛАНДІЯ
Голландський пейзаж. 1651. Фрагмент

14
КУГЛЕНБУРГ. XVIII СТ. ГОЛЛАНДІЯ
На кухні. 1813

15, 16
НІКОЛА ЛАНКРЕ. ФРАНЦІЯ
Сцена в саду. 1730-і рр.

17
ГЮБЕР РОБЕР. ФРАНЦІЯ
Руїни з аркою. 1786

18

МАРІ ЛУЇЗА ЕЛІЗАБЕТ ВІЖЕ-ЛЕБРЕН. ФРАНЦІЯ

Портрет графині Літти

19

ШАРЛЬ (?) ПЛЕССІ. ДРУГА ПОЛОВИНА XIX ст. ФРАНЦІЯ
Сірий день

20
ПОЛЬ МАДЛІН. ФРАНЦІЯ
Купальниці. 1912

21
ЯН СТАНІСЛАВСЬКИЙ, ПОЛЬЩА
Рання весна. 1902

УКРАИНСКОЕ ДОРЕВОЛЮЦИОННОЕ ИСКУССТВО

UKRAINIAN PRE-REVOLUTIONARY ART

С. І. Васильківський
В літній день. 1884. Фрагмент

Українське дореволюційне мистецтво

І. І. Соколов
Весілля. 1860. Фрагмент

Зібрання українського іконопису в музеї невелике, але дає уявлення про особливості релігійного мистецтва XVIII—XIX століть. У другій половині XVII — на початку XVIII століття в українському іконописі — провідному на той час жанрі станкового живопису — панує, як і в усьому мистецтві, стиль бароко. Його характеризують рафінованість і водночас соковитість форм, декоративна орнаментальність і, головне, проникнення світських елементів, що надають життєвої достовірності зображеному.

Ці риси притаманні двом іконам першої половини XVIII століття — «Свята Варвара» і «Пророк Даниїл». Зображений на повний зріст в розкішному одязі, Даниїл нагадує скоріше світського аристократа, ніж святого. Художник з майстерністю відтворює малюнок та фактуру тканин, перелив коштовностей. Багата колірна гама сріблясто-коричневих тонів, підсилена золотом, надає зображенню декоративної виразності, святкової урочистості.

Реалістичні тенденції, що намітилися в українському іконописі, створюють певні передумови для розвитку портретного живопису на Україні. На Лівобережній Україні портретний живопис досягає свого розквіту наприкінці XVII—XVIII століть. У цей час створюється велика кількість парадних портретів, замовниками яких була українська козацька верхівка. Призначалися вони головним чином для фамільних галерей. Водночас, за твердженням П. О. Білецького, «герби, парадні портрети на стінах церков, портретні постаті в композиціях ікон стали для козацьких старшин засобом самоствердження».

В експозиції представлений «Портрет гетьмана І. Скоропадського» — одне з численних повторень епітафіального портрета гетьмана. Виконаний він у традиційній схемі парадного репрезентативного портрета. Високе соціальне становище моделі підкреслено гордовитою, впевненою позою і обов'язковими атрибутами: гербом у картуші і символом гетьманської влади — булавою.

У першій половині XIX століття відбувається зародження українського пейзажу, одним з перших представників якого був В. Штернберг. У своєму полотні «Аскольдова могила» художник прагне насамперед до поетичного сприйняття конкретного мотиву.

Утвердження реалізму в українському мистецтві першої половини XIX століття нерозривно пов'язане з іменем великого українського поета і художника Т. Шевченка. Його творчість представлена двома офортами з серії «Живописна Україна» — «Судня рада» (1844) і «Старости» (1844). Це жанрові сценки з життя українського села.

Реалістичні традиції Т. Шевченка знаходять подальший розвиток у творчості українських митців 1850—1860-х років. У зібранні музею зберігаються кілька офортів Л. Жемчужникова, що свідчать про продовження справи, розпочатої великим Кобзарем. Свою графічну серію Л. Жемчужников, подібно до Шевченкової, також назвав «Живописна Україна». Герої його офортів — народні типи, цікаві з етнографічної точки зору. До роботи над серією Л. Жемчужников залучав і інших митців, прагнучи зробити видання якомога цікавішим, привернути увагу громадськості до України.

У цей же час працює живописець і графік І. Соколов, що також присвятив свою творчість зображенню життя простого народу. В експозиції представлена його картина «Весілля» (1860). У ній ще присутні риси певної ідеалізації образів і схематизм, однак уже тут митець відходить від академізму, приділяючи все більше

С. І. Васильківський
Сільська вулиця. 1915

уваги індивідуальності своїх персонажів та зображенню конкретного пейзажу.

Одним з кращих жанрових полотен Д. Безперчого справедливо вважається «Бандурист» (поч. 1860-х рр.). Художник виконав два варіанти картини, перший з яких зберігається в музеї. Постать натхненного бандуриста надає картині, що витримана загалом у сентиментальному ключі, своєрідного поетичного забарвлення.

К. Трутовський представлений речами пізнього періоду своєї творчості. Крім ілюстрацій до повістей М. Гоголя, привертає увагу малюнок «Привели до пана», що відзначається гостротою соціальних характеристик персонажів.

Різноманітно представлений український пейзаж. Вихованець Академії мистецтв В. Орловський у своїх творах тяжіє до епічного трактування мотиву і обирає в більшості випадків панорамне вирішення композиції. Він поєднує академічні канони з пленерним живописом. Так, у картині «Річка. Осінь», як і в інших роботах, наявне злиття цих двох тенденцій.

Могутній вплив на розвиток станкового живопису на Україні справило Товариство пересувних художніх виставок. Від свого вчителя О. Саврасова С. Світославський перейняв уміння знаходити красу в звичайному буденному мотиві. Особливо вплив вчителя відчувається в творах, де С. Світославський пише весну. Його пейзажі «Дворик, освітлений сонцем» (1890-і рр.) і «Повінь» відзначають поетичне забарвлення, пленерний характер живопису. В них майстерно передано сонячне світло, прозорість повітря, перші прикмети весни в природі.

Другий активний учасник пересувних художніх виставок М. Пимоненко в своїх творах виступає як послідовний художник-реаліст, співець життя і побуту українського села. Часто зустрічаємо у нього твори на мотив побачення. В полотні «Ревнощі» (1901), що знаходиться в експозиції, художник головну увагу приділяє зображенню дівчини, яка потай підглядає за побаченням. Твір виконаний в останні роки життя Пимоненка і належить до найвдаліших у його доробку. В цей час митець уже вільно володів пленерним живописом. Постаті персонажів органічно пов'язані з пейзажем, особливої майстерності досягає художник у розробці градацій зеленого кольору. У полотні «Страсний четвер» майстерна передача світла свічки, гра жовтогарячих відблисків на затінених обличчях персонажів свідчать про неабияке колористичне обдарування художника.

Пейзажі П. Левченка суголосні творам видатних російських митців І. Левітана, В. Сєрова, К. Коровіна. Звичайні мотиви під його пензлем набувають особливої задушевності й поетичності. Він вніс ліричний струмінь в український реалістичний пейзаж, водночас підсиливши його демократичне звучання. Вишукана колірна гама в пейзажі «Пізня осінь» відтворює перехідний стан у природі, коли на зміну осені приходить зима.

У пейзажах С. Васильківського природа набуває ліро-епічного звучання. Вона для митця не тільки джерело натхнення, а й арена діяльності трудової людини. В музеї зберігаються кілька пейзажних творів цього майстра, а також твори інших жанрів — побутового («Ярмарок у Полтаві», 1902) й історичного («Козак в степу», 1900-і рр.).

Картина «Збирання слив у старому саду» (1904) М. Сергєєва приваблює винятковою теплотою в трактуванні мотиву. Сонячні промені, що пробиваються крізь листя дерев, передають примхливу гру світла і тіней, шляхетна гама зеленаво-золотистих тонів створюють настрій умиротворення і спокою.

М. К. Пимоненко
Страсний четвер. 1904. Фрагмент

Своєрідною постаттю у художньому житті України другої половини XIX століття був харківський художник Є. Волошинов. Численні натюрморти й пейзажі характеризують його як майстра колориту. Художник багато уваги приділяв відтворенню матеріальності предметів, природності освітлення, проробленню окремих деталей, що не заважає йому зберегти загальне поетичне трактування мотиву. Серед найвдаліших його робіт «Чортополох» та «Місячна ніч».

Філософськими роздумами про зміст буття просякнута картина нашого уславленого земляка уродженця м. Лебедина Ф. Кричевського «Три покоління» (1913). Її відзначають лаконічний малюнок, чіткий силует, декоративне колірне вирішення.

Певний інтерес становить творчість провінційного художника із м. Охтирки К. Власовського. Його ранні роботи створені під впливом художників-передвижників. Серед численних пейзажів митця вирізняється полотно «Жигайлівка. Дегтярів яр» (кінець XIX ст.).

У музеї створена меморіальна кімната, присвячена діяльності першого директора музею Н. Онацького. Полотна «Автопортрет» (1909) і «Альтанка» (1919) демонструють не тільки високу професійну майстерність художника (він був учнем І. Рєпіна), а й характеризують його як тонкого спостерігача життя.

В експозиції представлені також роботи відомих українських художників, чия творчість припадає на початок XX століття,— О. Сластіона, М. Беркоса, М. Ткаченка, О. Богомазова.

22
НЕВІДОМИЙ ХУДОЖНИК
Портрет Максима Залізняка. Початок XIX ст.

23
НЕВІДОМИЙ ХУДОЖНИК
Пророк Даниїл. Кінець XVIII — початок XIX ст.

24
В. І. ШТЕРНБЕРГ
Аскольдова могила.
Перша половина XIX ст.

25
Т. Г. ШЕВЧЕНКО
Судня рада. 1844

26

Л. М. ЖЕМЧУЖНИКОВ

Лірник. 1861

27
І. І. СОКОЛОВ
Весілля. 1860

28
Д. І. БЕЗПЕРЧИЙ
Бандурист. Початок 1860-х рр.

29
С. І. ВАСИЛЬКІВСЬКИЙ
В літній день. 1884

30
П. О. ЛЕВЧЕНКО
Пізня осінь. Глушина

31
М. К. ПИМОНЕНКО
Страсний четвер. 1904

32
С. І. СВІТОСЛАВСЬКИЙ
Весна. Місток. 1890-і рр.

33
С. І. СВІТОСЛАВСЬКИЙ
Дворик, освітлений сонцем. 1890-і рр.

34
М. К. ПИМОНЕНКО
Ревнощі, 1901

35
С. І. ВАСИЛЬКІВСЬКИЙ
З пасовиська. 1880

36
С. І. ВАСИЛЬКІВСЬКИЙ
Ярмарок у Полтаві. 1902. Фрагмент

37, 38
С. І. ВАСИЛЬКІВСЬКИЙ
Ярмарок у Полтаві. 1902

39, 40
Ф. Г. КРИЧЕВСЬКИЙ
Три покоління. 1913

Русское дореволюционное искусство

Russian Pre-Revolutionary Art

О. К. Богомазов
У качалці. Фрагмент

Російське дореволюційне мистецтво

І. К. Айвазовський
Морський пейзаж. 1870-і рр.
Фрагмент

Російське світське мистецтво представлене в музеї, починаючи з XVIII століття. Основну частину експозиції становлять портрети, що дають уявлення про тенденції розвитку цього жанру в кінці XVIII — на початку XIX століття. У «Портреті військового» невідомого художника вгадуються риси прогресивного романтизму в підході до трактування образу.

Творчість В. Боровиковського — видатного російського портретиста цього часу — репрезентує блискучий «Портрет Павла І» (1796), що показує його в перші роки царювання. Гордовита, самовпевнена поза імператора, його вбрання працюють на образ, сприяють виявленню духовної сутності портретованого.

Творчість О. Кіпренського багато в чому визначає особливості романтичного портрета тієї епохи. В його «Чоловічому портреті» (олівець, 1814) основну увагу приділено духовному світові моделі, передачі її настрою.

Особливо яскраво риси романтизму проявилися в роботах О. Орловського. «Битва» (1816) — один із численних батальних творів художника.

Вплив романтизму позначився і на творчості І. Айвазовського. В експозиції представлено три роботи митця кримського періоду, які відзначаються пошуками ідеального світу природи. В зображенні розбурханої стихії («Шторм», 1863) Айвазовський насамперед бачить красу. Погляд привертають прозорі гребені хвиль, пронизані сонячним світлом. Цей сплеск чистого кольору вносить ноту умиротворення у загальне драматичне звучання полотна. Інша робота видатного майстра — «Місячна ніч у Криму. Гурзуф» (1839) — сповнена м'якого, фосфоруючого світла південної ночі, її колорит насичений, але гама тонів згармонована і спокійна.

Високий художній рівень відзначає натюрморт І. Хруцького «Квіти і фрукти» (1836). Різні за фактурою предмети зображені художником з відчутною достовірністю.

В музеї експонуються твори митців академічного напряму на історичну тематику. За картину «Іван III розриває ханську грамоту» (1862) М. Шустов одержав Малу золоту медаль Академії мистецтв. Шустов першим звернувся до подібного сюжету з російської історії. Тема патріотизму втілена ним з великою життєствердною силою. За свою дипломну роботу «Летаргічний сон боярина Дмитра Красного» художник І. Селезньов був нагороджений Великою золотою медаллю.

Найповніше представлені в музейному зібранні художники-передвижники. У творах портретного жанру «Запорізький козак» (1884) К. Маковського та «Дама в кріслі» М. Касаткіна дано емоційну й соціальну характеристику моделей. Обидва твори відзначає висока живописна культура. На їхньому прикладі можна скласти певне уявлення про підхід передвижників до натури, її правдивого відображення, глибокого філософського осмислення життєвих явищ і водночас ліричного ставлення до своїх героїв.

Незважаючи на те, що робота І. Рєпіна «Запорізький полковник. Портрет В. В. Тарновського» (1880) є етюдом до картини «Запорожці пишуть листа турецькому султану», глибина психологічної характеристики, чітка композиція, колірна гама, побудована на протиставленні контрастних, але врівноважених і згармонізованих тонів, ставлять її в ряд самостійних творів.

У творчості передвижників великого поширення набув побутовий жанр. Загострення соціальних суперечностей, активізація класової боротьби у другій половині XIX століття знайшли своє відбиття у прогресивному мистецтві. Демократична

Невідомий скульптор XIX ст.
Плюшкін

спрямованість, прагнення проникнути в соціальну суть явищ суспільного життя притаманні роботам «Дід Василь» (1858) М. Нєврєва, «Старенькі» (1889) В. Маковського, «Дружина-модниця» (1872) Ф. Журавльова.

Окрасою експозиції є невеличкі за розміром, але різноманітні за настроєм і засобами художньої виразності пейзажі художників — членів Товариства передвижників. При всій розмаїтості індивідуальностей усіх їх об'єднує любов до рідної природи, бажання виявити красу простого невибагливого мотиву, вловити те характерне, що притаманне тій чи іншій порі року.

Прагнення відобразити у пейзажі національні риси характеризує роботи Л. Каменєва — творця пейзажу настрою. «Літній пейзаж зі струмком» (1866) відзначає прозорість колориту, тонке відтворення стану спокою, що панує в природі.

Особливості пейзажу передвижників простежуються в невеличкому полотні «Ялинник» (1890) І. Шишкіна, графічному аркуші «Відлига» (1890) О. Саврасова, поетичному етюді «Місячна ніч» (1897—1898) І. Левітана, мініатюрному пейзажі «Гірський схил» (1887) А. Куїнджі, тонкому за своєю колірною розробкою полотні «Осінь» С. Колесникова.

Істотно доповнюють відділ російського мистецтва роботи художників, що у своїй творчості продовжують соціально-критичну спрямованість мистецтва передвижників. До них належать полотна «За читанням листа» (1892) М. Богданова-Бєльського, «Перев'язочний пункт» І. Владимирова, «Солдати біля полкової кухні» (кінець 1880-х рр.) С. Коровіна.

Дотримання академічних канонів простежуємо в творах І. Макарова, М. Рачкова, О. Мещерського.

Про живопис кінця XIX — початку XX століття дають уявлення твори «Крим. Квітучий мигдаль» К. Коровіна, «Портрет Антоніо д'Андраде» (1886) В. Сєрова, «Зелена вітальня» О. Средіна. У музеї зберігаються цікаві твори митців «Союзу російських художників», що утворився в 1903 році. Полотна Л. Туржанського, О. Архипова, П. Петровичева, А. Васнецова свідчать про різноманітність та неоднорідність образотворчого мистецтва на зламі століть. Кілька робіт М. Нестерова дають уявлення про суперечливі тенденції мистецтва цього часу. Це переважно етюди — підготовчі матеріали до великих полотен. Серед них вирізняється «Осінній день» (1906) — етюд до картини «Осінній пейзаж». Виняткова симфонія шляхетних кольорів звучить во славу краси російської природи. У свій час М. Нестеров написав кілька ікон для Троїцького собору в Сумах. Дві з них зберігаються у фондах музею.

Скульптура цього періоду представлена в експозиції творами Є. Лансере «Зимова тройка» (1872) та П. Трубецького «Чоловічий портрет» (1899).

М. С. Шустов
Іван III розриває ханську грамоту.
1862. Фрагмент

41
О. А. КІПРЕНСЬКИЙ
Чоловічий портрет. 1814

42

В. Л. БОРОВИКОВСЬКИЙ

Портрет Павла I. 1796

43
О. О. ОРЛОВСЬКИЙ
Битва. 1816

44
М. В. НЕВРЄВ
Дід Василь. 1858

45, 46
М. С. ШУСТОВ
Іван III розриває ханську грамоту. 1862

47
◁ Л. Л. КАМЕНЄВ
Жнива (Пейзаж з копицями). 1872

48
К. Є. МАКОВСЬКИЙ
Ранок поміщиці. 1883

49
Ф. С. ЖУРАВЛЬОВ
Дружина-модниця. 1872

50
І. Т. ХРУЦЬКИЙ
Квіти і фрукти. 1836

51
І. К. АЙВАЗОВСЬКИЙ
Морський пейзаж. 1870-і рр.

52
І. Ю. РЄПІН
Біля рояля. 1880

53
А. І. КУЇНДЖІ
Гірський схил. 1887

54
І. І. ШИШКІН
Узлісся дубового гаю

55
М. К. БАШКИРЦЕВА
Горе. 1882 (?)

56
В. О. СЄРОВ
Портрет Антоніо д'Андраде. 1886

57
О. К. САВРАСОВ
Відлига. 1890

58
В. Є. МАКОВСЬКИЙ
Старі. 1889

59
М. П. БОГДАНОВ-БЄЛЬСЬКИЙ
За читанням листа. 1892

60
А. М. ШІЛЬДЕР
Степ

61
А. М. ШІЛЬДЕР
Степ. Фрагмент

62
С. Ю. ЖУКОВСЬКИЙ
Відлига. 1903

63, 64
Є. Г. ВОЛОШИНОВ
Чортополох

65
А. М. ВАСНЕЦОВ
Осіннє листя. 1910

66
М. В. НЕСТЕРОВ
Скитник. 1890-і рр.

67
К. О. КОРОВІН
Крим. Квітучий мигдаль

68
О. К. БОГОМАЗОВ
У качалці

69
С. Ю. ЖУКОВСЬКИЙ
Інтер'єр

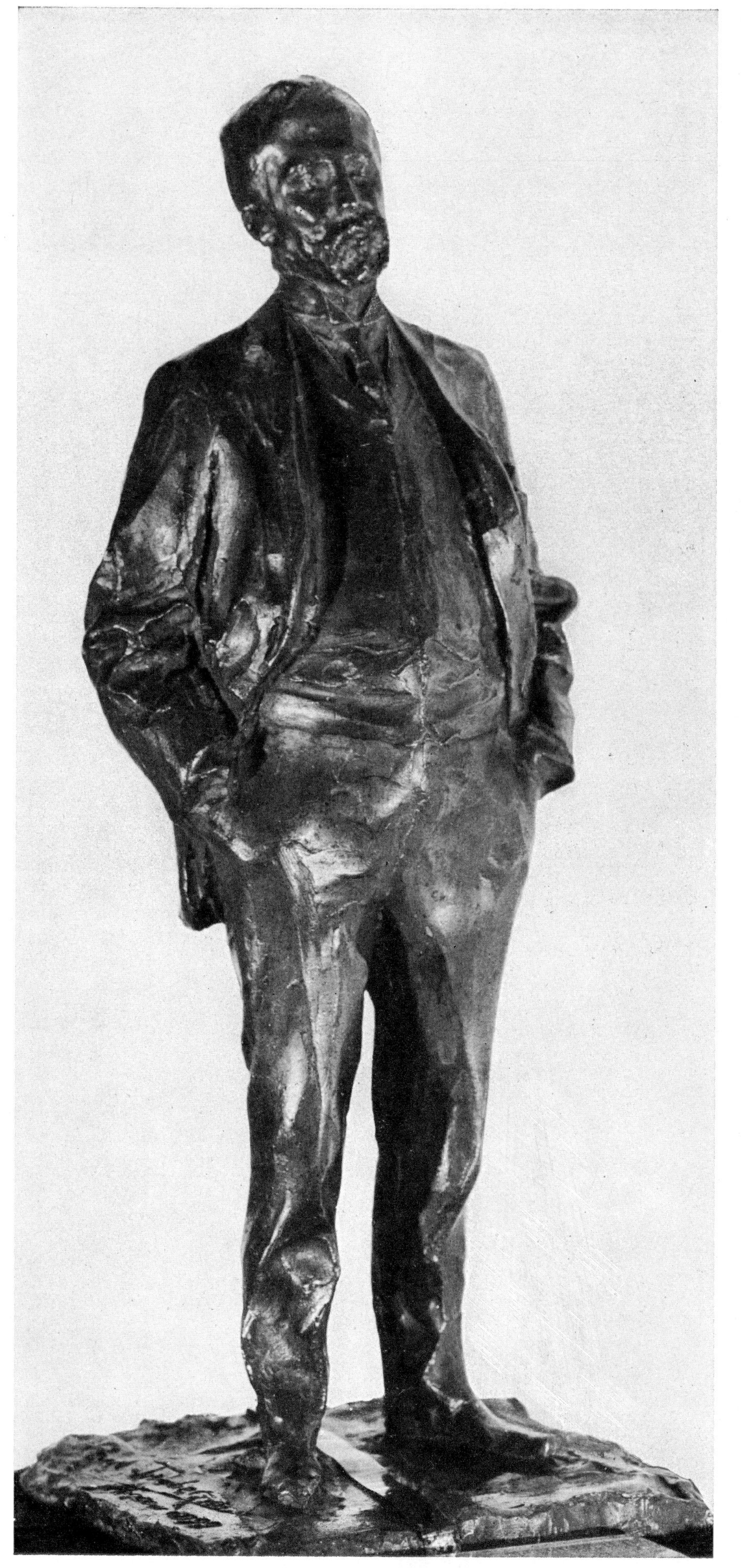

70
П. П. ТРУБЕЦЬКОЙ
Портрет невідомого. 1899

71
Ф. ШАРПАНТЬЄ. ДРУГА ПОЛОВИНА XIX ст.
Франція
Імпровізатор. 1880-і рр.

СОВЕТСКОЕ ИСКУССТВО

SOVIET ART

Ю. П. Кугач
Напередодні свята. 1962. Фрагмент

Радянське мистецтво

О. О. Туранський
Крок століття. 1971. Фрагмент

Перемога Великої Жовтневої соціалістичної революції заклала підвалини для розвитку радянського мистецтва в першій у світі соціалістичній державі. Для образотворчого мистецтва, як і для всієї радянської культури, 1920-і роки — період натхненних творчих пошуків, настійного прагнення радянських художників висловити у своєму мистецтві думки і почуття народу на новому історичному етапі. Цілком зрозуміле захоплення у цей час портретом, який давав можливість вирішувати різноманітні психологічні завдання, розкрити духовні й моральні якості, притаманні людині нової епохи. У відділі радянського мистецтва представлені живописні роботи, в яких накреслені характерні риси сучасника.

Значний внесок у розвиток українського образотворчого мистецтва зробив своїми творами тонкий і вдумливий портретист П. Волокидін, який у 1920-і роки створив різноманітну галерею образів. У полотні «У жовтому капелюшку» (1923) ефектна декоративна гра колірних і лінійних ритмів сприяє виявленню виразної індивідуальності, напружених внутрішніх переживань моделі.

Широко, з винятковою живописною майстерністю написаний «Автопортрет у свитці» (1924) Ф. Кричевського — одного з засновників і провідного майстра українського радянського живопису. Лаконічний малюнок, чіткий силует, стримане колірне вирішення, побудоване на коричнево-фіолетових тонах, дозволяють авторові створити образ монументального звучання. Цей твір знаменує собою своєрідний перехід до вироблення цього типу портрета, що утвердиться в радянському мистецтві у 1930-і роки.

Успіхи соціалістичного будівництва у 1930-і роки породили у радянської людини почуття впевненості й гордості за свою Батьківщину. Остаточно утвердився метод соціалістичного реалізму з його основоположними принципами партійності й народності. Образотворчому мистецтву цього часу притаманні глибина і значимість образів, багатство тематики, жанрове розмаїття.

Спільні риси у підході до розкриття образу сучасника відзначають живописне полотно Г. Ряжського «Портрет дівчини. (Залізничниця)» (1939) та скульптуру С. Лебедєвої «Портрет Чкалова» (1936).

Жанровий живопис 1930-х років представлений в експозиції картинами художників — членів АХРР. У своїй роботі «Курсанти за картою» (1934) С. Прохоров точно фіксує певний життєвий епізод, розкриваючи його через конкретні образи й численні деталі. Передачі загального настрою сприяє життєрадісна колірна гама.

У полотні одного з кращих майстрів побутового жанру в українському мистецтві К. Трохименка «У колгоспному клубі» (1936) конкретні образи колгоспників набувають узагальненого характеру.

Успішно розвивається у 1920—1930-і роки в радянському мистецтві пейзажний живопис. Як і майстри тематичної картини, художники-пейзажисти орієнтуються у своїй творчості на кращі взірці мистецтва XIX століття. У музеї зберігаються полотна радянських митців старшого покоління: «Відлига» (1920-і рр.) В. Бялиницького-Бірулі, «У лісі» (1920-і рр.) А. Рилова, «Напровесні» (1921) Л. Туржанського, «Новий зруб» (1928) І. Грабаря. Творчість цих художників багато в чому визначила реалістичну спрямованість у розвитку радянського пейзажу періоду його становлення. Кожному з них притаманне своє бачення світу, але єднає їх уміння передати у своїх творах особливості російського пейзажу. В зображення картин природи жи-

І. І. Машков
Бузок. 1930-і рр. Фрагмент

вописці часто вносять риси сучасності, прикмети тих перетворень, що відбуваються в країні, сповнюють їх життєствердним настроєм.

Романтичну лінію у пейзажі цього часу можна спостерігати і в графічних роботах кримських художників. Акварель «Коктебель. Скелі, вечір» (1923) М. Волошина, сангіна «Пейзаж з пагорбами на березі моря» (1927) К. Богаєвського оспівують красу древньої Кіммерії.

Натюрморт цього часу представлений виразним полотном Б. Яковлєва «Натюрморт з голубим відром» (1924), який відзначає відчутна передача фактури різноманітних речей, вишукана сріблясто-голуба гама. Прагнення оспівати красу матеріального світу, але іншими засобами художньої виразності характеризує натюрморти І. Машкова.

Історико-революційна тема представлена в музеї кількома полотнами. Картині П. Сулименка «Матроси Жовтня» (1963) притаманна сувора героїзація образів і подій, що відтворюється декоративним колоритом, побудованим на зіставленні підкреслено контрастних кольорів. Підвищеною емоційністю, революційною романтикою перейнята картина О. Мойсеєнка «Перша Кінна» (1957). Тут художник звертається до традицій батального жанру другої половини XIX століття, що були розвинуті М. Грековим у радянський час. У картині О. Мойсеєнка зображено не конкретний епізод з історії громадянської війни, а створено узагальнений образ всенародної боротьби за нове життя, за революційне перетворення світу. Герої картини — бійці легендарної Першої Кінної армії — мають цілком народний характер, а весь твір сповнений глибокого соціально-історичного змісту. Різкі градації світла й тіні, напружений колорит, динаміка рухів підсилюють героїчне звучання полотна.

Особливе місце в експозиції займають твори на ленінську тематику. Серед них найзначніші — «На порозі життя» (1963) С. Гуєцького та «У Ілліча» (1963) В. Задорожного, в яких знайшли відбиття високі людські якості вождя революції, його вміння проникнутись турботами і простого трудівника, і дітей.

Скульптура М. Андрєєва «В. І. Ленін за кафедрою» (1920-і рр.) має камерний характер. З графічних робіт вирізняється серія В. Минаєва «По ленінських місцях» (1977).

Постійно звертаються радянські митці до теми Великої Вітчизняної війни. Психологічна загостреність образів, пошуки узагальнених рішень відзначають живописні полотна «Про далеких і близьких» (1953) Б. Неменського та «В обложеному місті» (1958) Я. Левича.

У 1960-х роках зрушення, що відбуваються в нашому мистецтві, торкаються всіх жанрів. В усіх видах і жанрах образотворчого мистецтва спостерігаються пошуки нових, більш лаконічних засобів художньої виразності, підвищена психологізація образів, звернення до асоціацій і символіки.

Так, у своєму живописному полотні «Трінідадська мадонна» (1969) Л. Стиль застосовує прийоми, традиційно притаманні графіці і монументальному мистецтву.

Робота московської художниці Т. Назаренко «Дерево в Новому Афоні» (1969) виконана не без впливу мистецтва примітивістів. Водночас з'являється багато робіт побутового жанру, в яких відчутний ліричний струмінь. Звичайний мотив у полотні Ю. Пименова «Калінінград. Дощ» (1968) трактовано з особливою задушевністю, а тонко розроблений синювато-сріблястий колорит створює відчуття наповненості повітрям. Камерне полотно Ю. Кугача «Напередодні свята» (1962) відзначає тепла, спокійна гама, в якій активним акцентом червоного кольору звучить постать жінки, що готує пироги до святкового столу.

Оспівування трудового подвигу нашого народу в післявоєнний період займає чільне місце в радянському мистецтві. Робітничому класу присвятили свої роботи — «Молодість» (1957) В. Попков та «Заочник» (1963) Г. Павлюк. В них вдало передано атмосферу єднання людей під час спільної праці. Головною героїнею полотна Т. Голембієвської «З нагородою» (1962) стала молода колгоспниця, яку за трудові успіхи нагороджено орденом. Її оточили односельці й з цікавістю розглядають орден. Різні почуття передано на їхніх обличчях, але передусім — почуття гордості за свою юну односельчанку. Дзвінкі, яскраві барви стверджують радість і повнокровність життя, красу рідної землі.

Пейзажний живопис у післявоєнний час формувався переважно на фундаменті традицій класичного російського живопису. На прикладі творів М. Ромадіна, Г. Ниського, В. Мєшкова, що представлені в експозиції музею, можна простежити розмаїття творчих почерків у російському пейзажі 1960—1970-х років.

Українським майстрам пейзажу притаманний більш декоративний підхід, барвистіша колірна гама. У полотнах провідних українських майстрів пейзажу М. Глущенка, С. Шишка, Г. Глюка привертає не тільки багатство колористичних вирішень, а й розмаїття настроїв, втілених у картинах природи.

Скульптуру післявоєнного часу представляють роботи таких уславлених радянських митців, як М. Лисенко («Бюст Т. Г. Шевченка»), М. Манізер («Зоя Космодем'янська, (1942), І. Кавалерідзе («Біля Перекопу», 1957), С. Коньонков («Юна партизанка Смоленщини», 1962).

Нове покоління художників, що прийшло в мистецтво у 1970—1980-і роки, демонструє свій погляд на світ, свої теми й підхід до них, свою мову вираження. Змінилася не тільки мова живопису та графіки, а й сам підхід до вирішення теми, її трактування. Метафоричність, асоціативність образів, гострі композиційні вирішення, складні колірні модуляції увійшли не тільки в мистецтво молодих, а й у творчість майстрів старшого покоління.

Поряд з творами київських митців В. Одайника, Т. Яблонської, Г. Неледви та інших у музеї зберігаються роботи художників Москви та Ленінграда. Серед них виділяються роботи «Щастя молодих. Весілля» (1971—1972) Б. Неменського, «Місячна ніч» (1980) І. Обросова, «Провулок» (1966) І. Болотіної.

Відділ радянського мистецтва постійно поповнюється творами художників братніх республік. Різні за творчими манерами і техніками виконання («Тюльпани ввечері», 1982, Т. Наріманбекова; «Дівчина з Алсунги» Д. Скулме; «Саджанці», 1975, І. Алборті; «Куточок Кореїза» Р. Кунца), вони стверджують високі громадянські почуття, любов до природи рідного краю. Їх об'єднує висока живописна культура, глибоке розкриття теми, активний пошук нових засобів художньої виразності.

Музей має велике зібрання творів радянських майстрів графіки, серед яких такі уславлені майстри, як Б. Басов, Кукринікси, Д. Бісті, Г. Гавриленко та ін.

Експозиція музею знайомить також з творами сумських художників.

Музей пишається однією з кращих на Україні колекцій декоративно-ужиткового мистецтва, в якій представлені першорядні зразки кролевецького ткацтва, вишивання, різьблення, килимарства. Є в ній і багата колекція виробів художньої промисловості, що знайомить з кращими зразками фарфору і фаянсу російських та українських заводів XVIII—XIX століть; Гарднера, Попова, Корнілова, заводу Миклашевського, заснованого 1839 року у селі Волокитине на Сумщині, та ін. Надходження останніх років дозволяють охарактеризувати досягнення сучасних художніх промислів: Палеха, Мстери, Хохломи, Петриківки, Опішні.

72
Б. М. КУСТОДІЄВ
Пейзаж. 1917

73
П. Г. ВОЛОКИДІН
У жовтому капелюшку. 1923

74
Ф. Г. КРИЧЕВСЬКИЙ
Автопортрет у свитці. 1924

75
М. Г. БУРАЧЕК
Палац. 1918

76
І. Е. ГРАБАР ▷
Новий зруб (На будові). 1928

77
І. І. МАШКОВ
Натюрморт. 1910-і рр.

78
М. С. САР'ЯН
Дорога. 1924

79
С. Ф. КОЛЕСНИКОВ
Осінь. 1920-і рр.

80
Р. Р. ФАЛЬК
Портрет старої. 1932

81
К. Д. ТРОХИМЕНКО
У колгоспному клубі. 1936

82
Л. В. ТУРЖАНСЬКИЙ
Хата. Сонячний день. 1930-і рр.

83

І. І. МАШКОВ

Бузок. 1930-і рр.

84
С. В. ГЕРАСИМОВ
Привал на Кавказі. 1938

85
А. А. МАНЕВИЧ
Вулиця

86
Г. Г. РЯЖСЬКИЙ
Портрет дівчини (Залізничниця). 1939

87
О. О. ОСЬМЬОРКІН
У бакенщика. 1938

88
І. Е. ГРАБАР
Останній сніг. 1940

89
М. М. БОЖІЙ
Жіночий портрет. 1917

90
Г. П. СВІТЛИЦЬКИЙ
Чайковський на Україні. 1947

91
Д. М. ТАРХОВ
Стара Русь. 1945

92
М. М. ЖУКОВ
В. І. Ленін. 1970

93
В. В. РОЖДЕСТВЕНСЬКИЙ
Осінь. 1940-і рр.

94, 95
В. І. ОДАЙНИК
Жнива. 1949

96
В. К. БЯЛИНИЦЬКИЙ-БІРУЛЯ
Відлига

97
Т. Н. ЯБЛОНСЬКА
У садку. 1957

98, 99
Б. М. НЕМЕНСЬКИЙ
Про далеких і близьких. 1953

100
Г. Г. НИСЬКИЙ
Ранок на Волзі. 1954

101
В. Ю. ПОПКОВ
Молодість. 1957

102
А. О. ПЛАСТОВ
Дівчинка з качкою. 1959

103
М. П. ГЛУЩЕНКО
Березневе сонце. 1956

104
В. Т. КЛИМОНОВ
1919 рік. 1958

105
П. С. СУЛИМЕНКО
Матроси Жовтня. 1963

106
О. О. МОЙСЕЄНКО
Перша Кінна. 1957

107
С. Н. ГУЄЦЬКИЙ
На порозі життя. 1963

108
В. О. СЄРОВ
Ескіз до картини «23 січня 1924 р. Горки». 1964

109
В. В. МЄШКОВ
Олепячий острів. 1961

110
Г. С. МЕЛІХОВ
Ганнуся. 1962

111
Т. М. ГОЛЕМБІЄВСЬКА
З нагородою. 1962

112
Ю. П. КУГАЧ
Напередодні свята. 1962

113
К. М. ЛОМИКІН
«Рідна мати моя». 1964

114
М. М. РОМАДІН
Мерехтливий день. 1964

115
Ю. І. ПИМЕНОВ
Калінінград. Дощ. 1968

116
А. О. ПЛАМЕНИЦЬКИЙ
Сергій Єсенін. 1968

117
О. О. ТУРАНСЬКИЙ
Крок століття. 1971

118
М. Р. ВАРЕННЯ
Гуцульщина — край мистецтва. 1975

119
В. Є. ЧУЙКОВ
БАМ. Будівник селища Ургал комсомолець Бичко. 1976

БАМ
СТРОИТ
БАМ

120
О. В. ЩЕРБАКОВ
Ковпачний провулок. 1970

121
В. М. МИНАЄВ
Париж. Парк Мон-Сурі (Із серії «По ленінських місцях»). 1977

122
М. А. АНДРЄЄВ
Ленін за кафедрою. 1920-і рр.

123
М. Г. МАНІЗЕР
Зоя Космодем'янська. 1942

124
С. Т. КОНЬОНКОВ
Юна партизанка Смоленщини. 1962

125
І. П. КАВАЛЕРІДЗЕ
Біля Перекопу. 1957

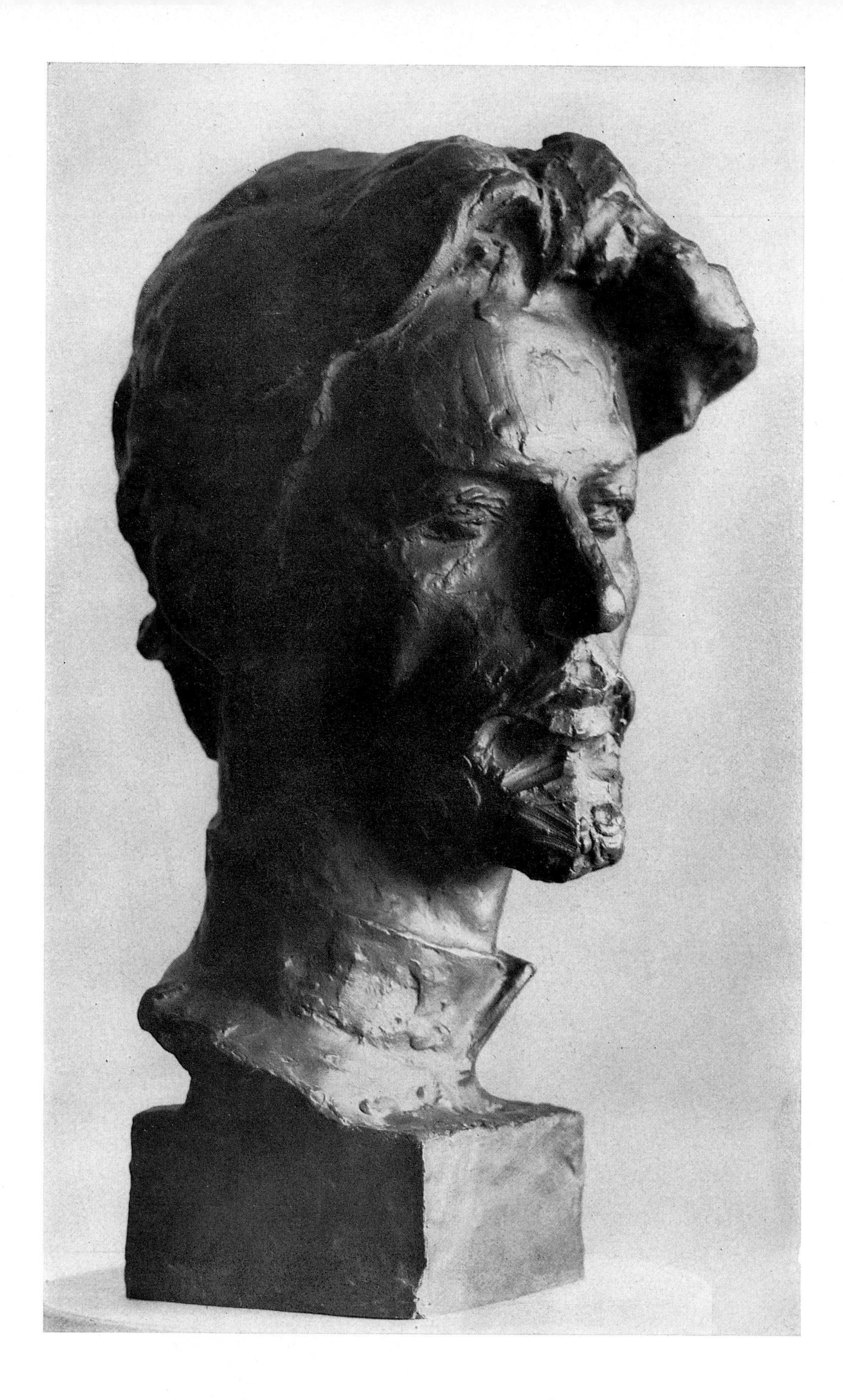

126
М. К. АНІКУШИН
Портрет А. П. Чехова. 1961

127

В. А. ФАВОРСЬКИЙ

Затемнення (Ілюстрація до «Слова про Ігорів похід). 1950

128

Г. В. ЯКУТОВИЧ

Дочки Ярослава Мудрого Ганна та Єлизавета (Ілюстрація до драми І. Кочерги «Ярослав Мудрий»). 1962

129

Г. В. МАЛАКОВ

Відгриміло (Із серії «Київ у грізну годину»). 1967

Irma
37

130
В. М. БАСОВ
Ілюстрація до оповідання А. П. Чехова «Душечка». 1967

131
Г. П. ГУТМАН
Відмінниця Світлана. 1970-і рр.

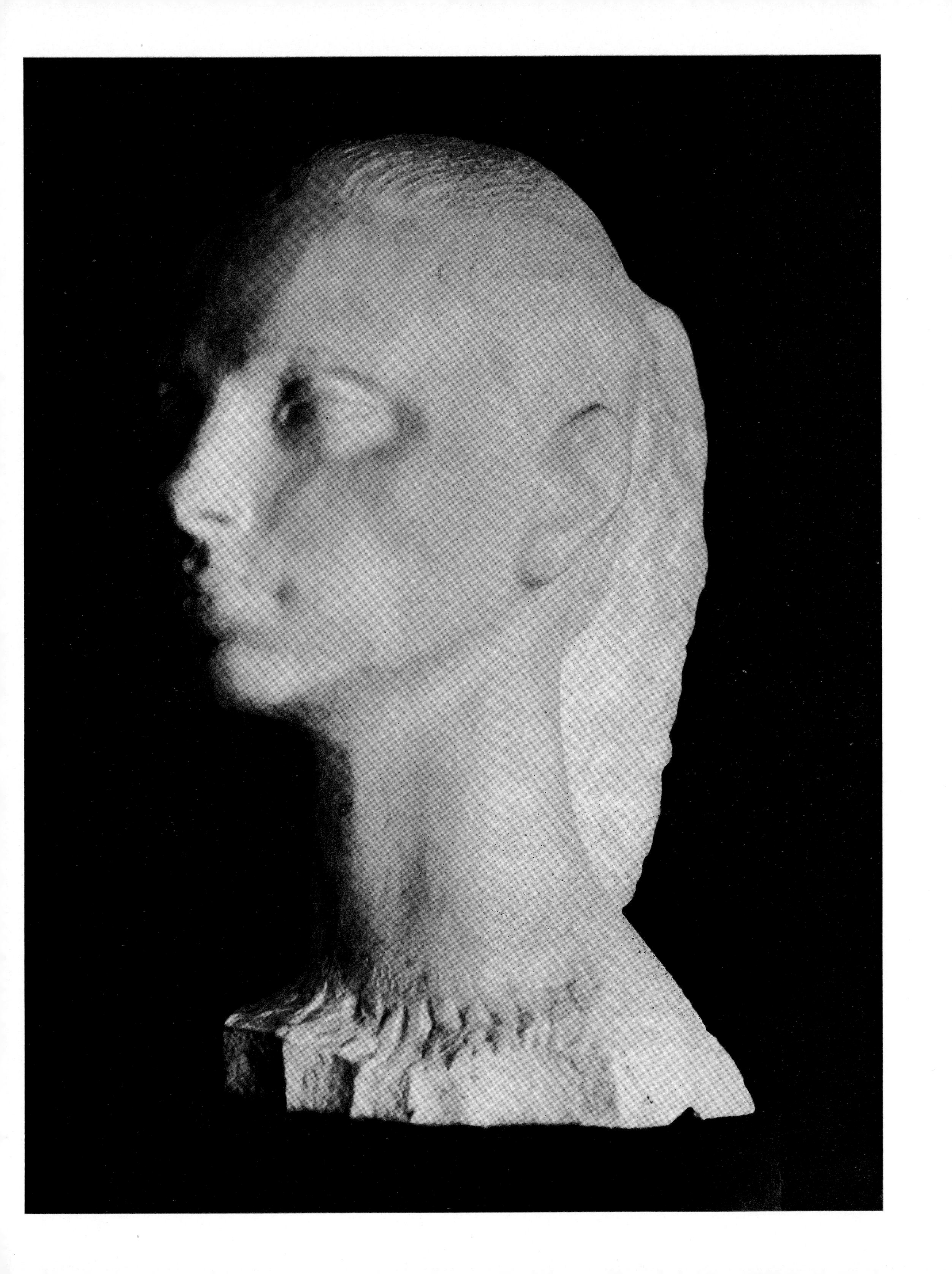

132
М. З. ФРАДКІН
Будиночок матрьошки. 1960

РЕЗЮМЕ

Сумской художественно-исторический музей открыл свои двери для посетителей в 1920 году. Его основание связано с именем первого директора музея — художника и поэта Н. Х. Онацкого (1875—1940). Благодаря его неутомимой деятельности коллекция пополнилась ценными экспонатами. Значительное место в собрании заняли предметы искусства из частной коллекции киевского коллекционера Оскара Гансена. В дальнейшем музей пополнялся произведениями искусства из крупнейших музеев страны. В 1927 году в его коллекции уже насчитывалось более десяти тысяч экспонатов. Наряду с произведениями живописи, графики и скульптуры, широко были представлены предметы декоративно-прикладного искусства, старинное оружие, фотографии.

В 1939 году произошло разделение музея на художественный и краеведческий.

В начале Великой Отечественной войны усилиями сотрудников во главе с директором А. И. Маршала-Чаловской бо́льшая часть коллекции была спасена. В послевоенные годы продолжалась работа по комплектованию отделов музея и выставочная деятельность, был сделан ряд научных атрибуций. В 1978 году музей получил новые помещения: произведения живописи, графики и скульптуры разместились в здании бывшего казначейства, а предметы декоративно-прикладного искусства — в бывшей Воскресенской церкви — памятнике архитектуры XVII века.

Наиболее полно представлена в собрании западноевропейского искусства итальянская живопись различных школ. Венецианскую школу XVII века характеризует картина неизвестного художника «Венера и Амур», болонскую — полотно «Жертвоприношение Авраама» кисти неизвестного художника, римскую — «Пейзаж с водопадом» Андреа Локкателли. Картина Бернардо Беллотто «Городская площадь» (1773) отличается виртуозным мастерством изображения архитектурного ансамбля. Мягкой гармонией цвета привлекает внимание полотно «Концерт» (1850-е гг.) Козрое Дузи; правдивой передачей состояния природы — «Венеция» (1870) Гульельмо Чарди и «Праздник на берегу» (1880) Алессандро ла Вольпе.

Коллекция фламандского искусства содержит ряд ценных картин XVII века: «Завтрак» Гиллиса ван Тильборха, «Охотничьи трофеи» (1650-е гг.) Яна Фейта, «Геркулес выбирает жизненный путь» (1660-е гг.) Теодора ван Тюльдена — одного из учеников Питера Пауля Рубенса, «Портрет военного» (1640-е гг.) Михиля Янса ван Миревельта. Гордостью музея является «Голландский пейзаж» (1651) «самого национального из голландских живописцев» Яна ван Гойена.

Картина «Сцена в саду» (1730-е гг.) французского художника Никола Ланкре — типичный пример стиля рококо. Высокой техникой исполнения в сочетании с некоторой идеализацией в трактовке мотива отличаются работы «Вход в Палермский перт» (1760-е гг.) Клода Жозефа Верне, «Развалины с аркой» (1786) Робера Гюбера, «Морской вид» Луи Габриеля Изабе. Линию реалистического пейзажа открывают работы «Рассвет на реке» Леона Рише и «Серый день» Шарля (?) Плесси — последователей барбизонской школы. Привлекают внимание колористическими исканиями работы шведского художника Карла Ларсона «Шторм» (1857) и норвежского мастера Юхана Мартина Гримеллунна «Морской пейзаж» (1913). Определенный интерес представляют произведения польской школы живописи конца XIX — начала XX века.

В собрании украинского дореволюционного искусства имеется ряд икон XVIII века: «Святая Варвара», «Пророк Даниил», а также прекрасные парсуны этого времени, выполненные неизвестными художниками.

Творчество Т. Шевченко — великого поэта и художника — представлено двумя его офортами из серии «Живописная Украина»: «Судная рада» (1844) и «Старосты» (1844). В экспозиции находятся работы украинских художников — последователей Т. Шевченко: Л. Жемчужникова «Лирник» (1861), И. Соколова «Свадьба» (1860), Д. Безперчего «Бандурист» (нач. 1860-х гг.), К. Трутовского «Привели к пану» (1860-е гг.). Разнообразен по индивидуальностям украинский пейзаж. Это работы «Река. Осень» (1878) В. Орловского, «Дворик, освещенный солнцем» (1890-е гг.) С. Светославского, «Поздняя осень» П. Левченко, пейзажи С. Васильковского. Н. Пимоненко в картине «Ревность» (1901) предстает как последовательный художник-реалист, певец жизни и быта украинского народа.

Своеобразной фигурой на небосклоне художественной жизни во второй половине XIX в. на Украине был Е. Волошинов. Непосредственным видением природы, чистым цветом отличается его работа «Чертополох». Философскими раздумьями о смысле бытия проникнута картина «Три поколения» (1913) Ф. Кричевского — известного мастера станковой и монументальной живописи. В экспозиции можно увидеть работы украинских живописцев М. Беркоса, А. Сластиона, А. Богомазова.

Русское светское искусство представлено начиная с XVIII века. «Портрет Павла I» (1796) В. Боровиковского свидетельствует о незаурядном колористическом даровании этого выдающегося портретиста. В карандашном «Мужском портрете» (1814) О. Кипренского основное внимание уделено духовному миру человека, его настроению. Романтические черты присущи работам «Битва» (1816) А. Орловского и «Шторм» (1863) И. Айвазовского. Высокий художественный уровень отличает натюрморт «Цветы и фрукты» (1836) И. Хруцкого.

Наиболее полно представлены в музейной коллекции работы художников-передвижников. В портретах «Дама в кресле» Н. Касаткина, «Запорожский казак» (1884) К. Маковского, «У рояля» (1880) И. Репина наряду с эмоциональной дается социальная характеристика модели. Стремление проникнуть в социальную суть явлений общественной жизни отличает работы «Дед Василий» (1858) М. Неврева, «Женамодница» (1872) Ф. Журавлева.

Украшением экспозиции являются небольшие, но разнообразные по настроению пейзажи художников — экспонентов передвижных выставок: «Летний пейзаж с ручьем» (1866) Л. Каменева, «Еловый лес» (1890) И. Шишкина, «Горный склон» (1887) А. Куинджи. Существенно дополняют отдел русского дореволюционного искусства работы художников, продолжающих социально-критическую тенденцию передвижников. К ним относятся работы «За чтением письма» (1892) М. Богданова-Бельского, «Перевязочный пункт» И. Владимирова, «Солдаты у полковой кухни» С. Коровина. В академических традициях выполнены работы «Иван III разрывает ханскую грамоту» (1862) Н. Шустова и «Летаргический сон боярина Дмитрия Красного» (1882) И. Селезнева. О живописи конца XIX — начала XX века дают представление произведения «Крым. Цветущий миндаль» К. Коровина, «Портрет Антонио д'Андраде» (1886) В. Серова, «Зеленая гостиная» А. Средина, «Осенний день» М. Нестерова. Из скульптуры этого времени в музее представлены произведения Е. Лансере «Зимняя тройка» (1872) и П. Трубецкого «Мужской портрет» (1899).

Отдел советского искусства начинает свою экспозицию с работ, в которых даны характерные черты героя нового времени. Среди них выделяются живописным мастерством и тонким лиризмом портреты «В желтой шляпке» (1923) П. Волокидина, «Автопортрет в свитке» (1924) Ф. Кричевского, «Портрет девушки. (Железнодорожница)» (1939) Г. Ряжского, скульптурные работы С. Лебедевой и Н. Андреева.

Жанровая живопись 30-х годов представлена работами бытового плана художников — членов АХРР. Острым чувством времени проникнуты «Курсанты за картой» (1934) С. Прохорова и «В колхозном клубе» (1936) К. Трохименко.

Богатство мироощущения, тонкий лиризм отличают произведения художников старшего поколения. Это в основном пейзажные работы: «Оттепель» (1920-е гг.) В. Бялыницкого-Бирули, «В лесу» (1920-е гг.) А. Рылова, «Ранней весной» (1921) Л. Туржанского, «Новый сруб» (1928) И. Грабаря. «Красивой серебристо-серой гаммой привлекает внимание «Натюрморт с голубым ведром» (1924) Б. Яковлева.

Музей обладает рядом интересных картин на историко-революционную тематику: «Матросы Октября» (1963) П. Сулименко, «Первая Конная» (1957) Е. Моисеенко. Образ вождя революции нашел воплощение в скульптурных произведениях «В. И. Ленин за кафедрой» Н. Андреева, «Приезд Ленина в Петроград» (1938—1948) И. Знобы; в живописных полотнах «На пороге жизни» (1963) С. Гуецкого, «У Ильича» (1963) В. Задорожного, в графическом цикле работ «По ленинским местам» В. Минаева.

Тема Великой Отечественной войны отображена в работах «В годы войны» (1972) В. Самохина, «Юная партизанка Смоленщины» (1962) С. Коненкова и др.

Трудовому подвигу посвящены полотна В. Попкова «Молодость» (1957), Г. Павлюка «Заочник» (1963), Т. Голембиевской «С наградой» (1962). Пейзаж этого времени представлен картинами Н. Глущенко, С. Шишко, Н. Ромадина, Г. Нисского, В. Мешкова. Поиском новых пластических форм отличаются работы «Тюльпаны вечером» (1982) Т. Нариманбекова, «Лунная ночь» (1980) И. Обросова, «Гора Сигнахи» Г. Маркозашвили, «Уголок Кореиза» Р. Кунца. В экспозиции есть также произведения сумских художников.

SUMMARY

The Sumy Museum of Art and History opened its doors to the public in 1920. Its foundation is connected with the name of N. Onatsky (1875—1940), an artist and poet who became the museum's first director. Thanks to his persevering efforts, the collection was supplemented with many valuable exhibits. Works of art from the private collection of O. Hansen, an art connoisseur from Kiev, made up the major part of the museum collection, and later, the museum was replenished with the help of the country's major museums. In 1927 the museum possessed already over ten thousand exhibits. Along with paintings, sculptures and works of graphic art, the articles of decorative and applied art as well as old weaponry and photographs were also widely represented.

In 1939 the museum was divided into an art museum and a museum of local lore.

At the beginning of the Great Patriotic War of 1941—1945, the larger part of the collection was saved thanks to the efforts of the museum staff and its director A. Marshala-Chalovskaya. In the post-war years work to replenish the museum sections continued, and a number of attributions were made. In 1978 the museum received new premises: works of painting, sculpture and graphic art were moved into the former treasury building, whereas articles of decorative and applied arts were housed in the former Church of the Resurrection, an architectural monument of the 17th century.

Italian painting of various schools is the most fully represented in the collection of West-European art. The Venetian school of the 17th century is exemplified by *Venus and Cupid*, the Bolognese school by *The Sacrifice of Abraham*, both canvases by anonymous painters, while the Roman school is shown by *A Landscape with a Waterfall* by Andrea Locatelli. Bernardo Bellotto's *A City Square* (1773) shows the artist to be a master painter of architectural ensembles. *The Concert* (1850s) by Cosroe Dusi attracts with its beautiful harmony of colour, and *Venice* (1870) by Guglielmo Ciardi and *Fete on the Shore* (1880) by Alessandro la Volpe, with the truthful representation of nature's state.

The collection of Flemish art contains a number of valuable paintings from the 17th century: *Breakfast* by Guillaume van Tielborch, *Hunting Trophies* (1650s) by Jan Fyt, *Hercules Deciding on His Life Path* (1660s) by Theodor van Thulden, a pupil of Peter Paul Rubens, and *Portrait of a Serivceman* (1640s) by Mikhiel Janszoon van Mierevelt. *A Dutch Landscape* (1651), by Jan van Goyen, the most national of Dutch painters, is the pride of the museum.

A Garden Scene (1730s), by French painter Nicolas Lancret is a typical example of the Rococo style. High craftsmanship coupled with a certain idealization in the motif treatment is peculiar to the canvases *Entrance into the Palermo Port* (1760s) by Claude Joseph Vernet, *Ruins with an Arch* (1786) by Hubert Robert, and *A Seascape* by Eugène Louis Gabriel Isabey. Leon Richet *(Dawn on the River)* and Charles (?) Plessis (*A Grey Day*), followers of the Barbizon school, present realistic treatment in landscape. Colouristic searches attract the viewer's attention to *The Storm* (1857) by Carl Larsson of Sweden and *A Seascape* (1913) by Norwegian Juhan Martin Griemellunn. The Polish school of painting of the turn of the 20th century is also of interest.

The collection of Ukrainian pre-revolutionary art contains several 18th-century icons *(St. Barbara, The Prophet Daniel)* and wonderful portraits of that period made by anonymous painters.

Great Ukrainian poet and artist, Taras Shevchenko, is represented in the museum by two etchings from the series *Picturesque Ukraine: Council of Village Elders* (1844) and *Match-Makers* (1844). The museum also exhibits works by Ukrainian artists, followers of Shevchenko: Zhemchuzhnikov's *A Lyre-Player* (1861), Sokolov's *Wedding* (1860), Bezperchy's *A Bandura-Player* (early 1860s), Trutovsky's *Brought to the Landlord* (1860s). Ukrainian landscape is exemplified by diverse individual approach to the theme: *A River. Autumn* (1878) by Orlovsky, *A Sunlit Yard* (1890s) by Svitoslavsky, *Late Autumn* by Levchenko and some landscapes by Vasilkivsky. Pimonenko in his canvas *Jealousy* (1901) appears as a consistent realist, portraying the daily life of the Ukrainian people.

A peculiar place in the Ukrainian art of the latter half of the 19th century belonged to Voloshinov. His *Thistle* is marked by ingenious perception of nature and clear colours. Philosophic meditations upon the sense of existence permeate the canvas *Three Generations* (1913) by Krichevsky, a well-known master of easel and monumental painting. The exhibition also shows works by Ukrainian painters of the turn of the 20th century Berkos, Slastion and Bogomazov.

Russian secular art is presented beginning from the 18th century. *Portrait of Paul I* (1796) by prominent portraitist Borovikovsky testify to his outstanding talent of a colourist. Kiprensky in his pencil *Portrait of a Man* (1814) paid special attention to the spiritual world of the person represented, to his moods. Romantic traits are evident in *The Battle* (1816) by Orlovsky and *The Storm* (1863) by Aivazovsky. High artistic level marks *Flowers and Fruit* (1836), a still-life by Khrutsky.

Works by the *peredvizhniki* (members of the Society of Itinerant Art Exhibitions) are represented most fully in the museum collection. Portraits *Lady Sitting in a Chair* by Kasatkin, *A Zaporozhian Cossack* (1884) by Makovsky and *At the Grand Piano* (1880) by Repin give both the emotional and the social characterization of the model. The striving to penetrate into the social essence of public life phenomena is evident in canvases *Granddad Vasily* (1858) by Nevrev, *The Stylish Wife* (1872) by Zhuravlev, and *The Old Couple* (1889) by Makovsky.

Small but versatile in mood, landscapes by the artists who took part in the itinerant exhibitions adorn the museum collection: *A Summer Landscape with a Brook* (1866) by Kamenev, *Fir Grove* (1890) by Shishkin, *A Mountain Slope* (1887) by Kuindzhi. The department of Russian pre-revolutionary art presents also works by artists who continued the socio-critical tendency of the *peredvizhniki*. Among them we find *Reading a Letter* (1892) by Bogdanov-Belsky, *A Dressing Station* by Vladimirov, *Soldiers at the Regimental Kitchen* by Korovin. Canvases *Ivan III Tears up the Khan's Charter* (1862) by Shustov and *The Boyar Dmitri Krasny's Lethargic Dream* (1882) by Seleznev are executed in the academic manner. Painting of the turn of the 20th century is illustrated by the canvases *The Crimea. An Almond-Tree in Blossom* by Korovin, *Portrait of Antonio d'Andrade* (1886) by Serov, *The Green Sitting-Room* by Sredin, *An Autumn Day* by Nesterov. Sculpture of that period is shown by Lansere's *A Winter Troika* (1872) and Trubetskoi's *Portrait of a Man* (1899).

The department on Soviet art opens with works that present character traits of the hero of the new times. Special mention should be made of portraits *Wearing a Yellow Hat* (1923) by Volokidin, *Self-Portrait in a Coat* (1924) by Krichevsky, *Portrait of a Girl (Railway Worker)* (1939) by Ryazhsky, and sculptures by Lebedeva and Andreyev. All of them stand out for high craftsmanship and gentle lyricism.

Genre painting of the 1930s is demonstrated by painters who belonged to the Association of Artists of Revolutionary Russia. Acute sense of modernity permeates *Military Students Viewing a Map* (1934) by Prokhorov and *At the Collective-Farm Club* (1936) by Trokhimenko.

Rich perception of the world and deep lyricism characterize works by artists of the older generations. In the museum, they are represented mostly by landscapes: *Thaw* (1920s) by Byalinitsky-Birulya, *In the Forest* (1920s) by Rylov, *Early Spring* (1921) by Turzhansky, and *A New Framework* (1928) by Grabar. *Still-Life with a Blue Pail* (1924) by Yakovlev attracts attention with its fine silvery-grey colour-scheme.

The museum possesses a number of interesting works on historico-revolutionary themes: *Sailors of the October Revolution* (1963) by Sulimenko, and *The First Cavalry Army* (1957) by Moiseyenko. The image of Lenin, the leader of the Revolution, was incarnated in sculptures *Lenin at the Rostrum* by Andreyev, *Lenin's Arrival to Petrograd* (1938—1948) by Znoba; in canvases *At the Threshold of Life* (1963) by Huyetsky, *Visiting Lenin* (1963) by Zadorozhny; and in a graphic series entitled *Along the Lenin Landmarks* by Minayev.

The Great Patriotic War of 1941—1945 found its reflection in works *During the War Years* (1972) by Samokhin, *A Young Partisan from the Smolensk Region* (1962) by Konenkov, and others.

Labour achievements of the Soviet people is the main theme of Popkov's *Youth* (1957), Pavlyuk's *A Correspondence-Course Student* (1963), Holembiyevska's *Congratulations on the Award* (1962). Landscape painting of the time is represented by Hlushchenko, Shishko, Romadin, Nissky and Meshkov. A search for new plastic idiom marks the canvases *Tulips in the Evening* (1982) by Narimanbekov, *A Moonlit Night* (1980) by Obrosov, *Signakhi Mountain* by Markozashvili, *A Corner in Koreiz* by Kunts. Works by Sumy artists are also widely shown in the museum exhibition.

ПЕРЕЛІК РЕПРОДУКЦІЙ

ЗАХІДНОЄВРОПЕЙСЬКЕ МИСТЕЦТВО

1 НЕВІДОМИЙ ХУДОЖНИК. XVII ст. Венеціанська школа
ВЕНЕРА І АМУР
Полотно, олія. 58,5×85,8 *

2 РООС ФІЛІПП ПЕТЕР (РОЗА ДА ТІВОЛІ). 1655(1657)—1706. Італія
ГРОТ З ВОДОСПАДОМ
Полотно, олія. 96,5×80,6

3, 4 БЕЛЛОТТО БЕРНАРДО (?). 1720—1780. Італія
МІСЬКА ПЛОЩА. 1773
Полотно, олія. 80×93

5, 6 ДУЗІ КОЗРОЄ. 1803—1860. Італія. КОНЦЕРТ. 1850-і рр.
Полотно, олія. 144×190

7 МІРЕВЕЛЬТ МІХІЛЬ ЯНС ВАН. 1567—1641. Голландія
ПОРТРЕТ ВІЙСЬКОВОГО. 1630-і рр.
Полотно, олія. 102×84

8 ХУДОЖНИК КОЛА НІКОЛА ДЕ ЛАРЖІЛЬЄРА. XVIII ст. Франція
ПОРТРЕТ ЮНАКА. Фрагмент
Полотно, олія. 64,5×51,4

9 УДЕН ЛУКАС ВАН. 1595—1672. Фландрія
ПЕЙЗАЖ.
Полотно, олія. 45×61

10 ТЮЛЬДЕН ТЕОДОР ВАН. 1606—1676 (1669). Фландрія
ГЕРКУЛЕС ОБИРАЄ ЖИТТЄВИЙ ШЛЯХ. 1660-і рр.
Полотно, олія. 89,5×115,8

11 ФЕЙТ ЯН. 1611—1661. Фландрія
МИСЛИВСЬКІ ТРОФЕЇ. 1650-і рр.
Полотно, олія. 116×153

12 ГОЙЄН ЯН ВАН. 1596—1656. Голландія
ГОЛЛАНДСЬКИЙ ПЕЙЗАЖ. 1651
Дерево, олія. 31×53

13 ГОЙЄН ЯН ВАН. 1596—1656. Голландія
ГОЛЛАНДСЬКИЙ ПЕЙЗАЖ. 1651. Фрагмент
Дерево, олія. 31×53

14 КУГЛЕНБУРГ. XVIII ст. Голландія
НА КУХНІ. 1813
Дерево, олія. 34,5×28,6

15, 16 ЛАНКРЕ НІКОЛА. 1690—1743. Франція
СЦЕНА В САДУ. 1730-і рр.
Полотно, олія. 50×48

17 РОБЕР ГЮБЕР. 1733—1808. Франція
РУЇНИ З АРКОЮ. 1786
Полотно, олія. 83×61 (овал)

* Усі розміри подані у сантиметрах.

18 ВІЖЕ-ЛЕБРЕН МАРІ ЛУЇЗА ЕЛІЗАБЕТ. 1755—1842. Франція
ПОРТРЕТ ГРАФИНІ ЛІТТИ
Полотно, олія. 57,2×46,2

19 ПЛЕССІ (ШАРЛЬ?). Друга половина XIX ст. Франція
СІРИЙ ДЕНЬ
Полотно, олія. 43×67

20 МАДЛІН ПОЛЬ. 1863—1920. Франція
КУПАЛЬНИЦІ. 1912
Картон на дереві, олія. 80,5×100. (верхній край заокруглений)

21 СТАНІСЛАВСЬКИЙ ЯН. 1860—1907. Польща
РАННЯ ВЕСНА. 1902
Полотно на картоні, олія. 21,5×31

УКРАЇНСЬКЕ ДОРЕВОЛЮЦІЙНЕ МИСТЕЦТВО

23 НЕВІДОМИЙ ХУДОЖНИК
ПОРТРЕТ МАКСИМА ЗАЛІЗНЯКА. Початок XIX ст.
Полотно, олія. 67,5×51,5

23 НЕВІДОМИЙ ХУДОЖНИК
ПРОРОК ДАНИЇЛ.
Кінець XVIII — початок XIX ст.
Дерево, клейовий грунт, олія, лак, позолота. 128×75,9

24 ШТЕРНБЕРГ ВАСИЛЬ ІВАНОВИЧ. 1818—1845
АСКОЛЬДОВА МОГИЛА.
Перша половина XIX ст.
Полотно, олія. 43,8×59,2

25 ШЕВЧЕНКО ТАРАС ГРИГОРОВИЧ. 1814—1861
СУДНЯ РАДА. 1844
Офорт. 23,5×29,8

26 ЖЕМЧУЖНИКОВ ЛЕВ МИХАЙЛОВИЧ. 1823—1918
ЛІРНИК. 1861. ОФОРТ. 18,5 ×15

27 СОКОЛОВ ІВАН ІВАНОВИЧ. 1823—1918
ВЕСІЛЛЯ. 1860
Полотно, олія. 84×122,5

28 БЕЗПЕРЧИЙ ДМИТРО ІВАНОВИЧ. 1825—1913
БАНДУРИСТ. Початок 1860-х рр.
Полотно, олія. 125,8×98,2

29 ВАСИЛЬКІВСЬКИЙ СЕРГІЙ ІВАНОВИЧ. 1854—1917
В ЛІТНІЙ ДЕНЬ. 1884
Полотно, олія. 71,5×131

30 ЛЕВЧЕНКО ПЕТРО ОЛЕКСІЙОВИЧ. 1856—1917
ПІЗНЯ ОСІНЬ. ГЛУШИНА
Полотно на картоні, олія. 26,5×37

31 ПИМОНЕНКО МИКОЛА КОРНИЛОВИЧ. 1862—1912
СТРАСНИЙ ЧЕТВЕР. 1904
Полотно, олія. 49,8×39,7

32 СВІТОСЛАВСЬКИЙ СЕРГІЙ ІВАНОВИЧ. 1857—1931
ВЕСНА. МІСТОК. 1890-і рр.
Полотно на картоні, олія. 32,2×40,7

33 СВІТОСЛАВСЬКИЙ СЕРГІЙ ІВАНОВИЧ. 1857—1931
ДВОРИК, ОСВІТЛЕНИЙ СОНЦЕМ. 1890-і рр.
Полотно, олія. 84,3×102,5

34 ПИМОНЕНКО МИКОЛА КОРНИЛОВИЧ. 1862—1912
РЕВНОЩІ. 1901
Полотно, олія. 44,3×55

35 ВАСИЛЬКІВСЬКИЙ СЕРГІЙ ІВАНОВИЧ. 1854—1917
З ПАСОВИСЬКА. 1880
Полотно, олія. 34×47

36 ВАСИЛЬКІВСЬКИЙ СЕРГІЙ ІВАНОВИЧ. 1854—1917
ЯРМАРОК У ПОЛТАВІ. 1902
Фрагмент
Полотно, олія. 60×106,5

37, 38 ВАСИЛЬКІВСЬКИЙ СЕРГІЙ ІВАНОВИЧ. 1854—1917
ЯРМАРОК У ПОЛТАВІ. 1902
Полотно, олія. 60×106,5

39, 40 КРИЧЕВСЬКИЙ ФЕДІР ГРИГОРОВИЧ. 1879—1947
ТРИ ПОКОЛІННЯ. 1913
Дерево, олія. 28×48

РОСІЙСЬКЕ ДОРЕВОЛЮЦІЙНЕ МИСТЕЦТВО

41 КІПРЕНСЬКИЙ ОРЕСТ АДАМОВИЧ. 1782—1836
ЧОЛОВІЧИЙ ПОРТРЕТ. 1814
Папір, італійський олівець. 25×21,7

42 БОРОВИКОВСЬКИЙ ВОЛОДИМИР ЛУКИЧ. 1757—1825
Портрет Павла І. 1796
Полотно, олія. 80×64

43 ОРЛОВСЬКИЙ ОЛЕКСАНДР ОСИПОВИЧ. 1777—1832
БИТВА. 1816
Метал, олія. 40,6×32,3

44 НЕВРЄВ МИКОЛА ВАСИЛЬОВИЧ. 1830—1904
ДІД ВАСИЛЬ. 1858
Полотно, олія. 83,7×67,2

45, 46 ШУСТОВ МИКОЛА СЕМЕНОВИЧ. 1834—1868
ІВАН III РОЗРИВАЄ ХАНСЬКУ ГРАМОТУ. 1862
Полотно, олія. 169×218

47 КАМЕНЄВ ЛЕВ ЛЬВОВИЧ. 1833—1886
ЖНИВА (ПЕЙЗАЖ З КОПИЦЯМИ). 1872
Полотно, олія. 70×114

48 МАКОВСЬКИЙ КОСТЯНТИН ЄГОРОВИЧ. 1839—1915
РАНОК ПОМІЩИЦІ. 1883
Полотно, олія. 90×66,5

49 ЖУРАВЛЬОВ ФІРС СЕРГІЙОВИЧ. 1836—1901
ДРУЖИНА-МОДНИЦЯ. 1872
Полотно, олія. 115,5×87

50 ХРУЦЬКИЙ ІВАН ТРОХИМОВИЧ. 1810—1885
КВІТИ І ФРУКТИ. 1836
Полотно, олія. 79×111,5

51 АЙВАЗОВСЬКИЙ ІВАН КОСТЯНТИНОВИЧ. 1817—1900
МОРСЬКИЙ ПЕЙЗАЖ 1870-і рр.
Полотно, олія. 70×98

52 РЄПІН ІЛЛЯ ЮХИМОВИЧ. 1844—1930
БІЛЯ РОЯЛЯ. 1880
Полотно, олія. 46×36

53 КУЇНДЖІ АРХИП ІВАНОВИЧ. 1842—1910
ГІРСЬКИЙ СХИЛ. 1887
Картон, олія. 16×10,5

54 ШИШКІН ІВАН ІВАНОВИЧ. 1832—1898
УЗЛІССЯ ДУБОВОГО ГАЮ
Полотно на картоні, олія. 37,8×57,7

55 БАШКІРЦЕВА МАРІЯ КОСТЯНТИНІВНА. 1860—1884
ГОРЕ. 1882 (?)
Полотно, олія. 72,8×91,8

56 СЄРОВ ВАЛЕНТИН ОЛЕКСАНДРОВИЧ. 1865—1911
ПОРТРЕТ АНТОНІО Д'АНДРАДЕ. 1886
Полотно, олія. 60,5×49,2

57 САВРАСОВ ОЛЕКСІЙ КІНДРАТОВИЧ. 1830—1897
ВІДЛИГА. 1890
Тонований папір, італійський та графічний олівці, білило. 37,2×26,8

58 МАКОВСЬКИЙ ВОЛОДИМИР ЄГОРОВИЧ. 1846—1920
СТАРЕНЬКІ. 1889
Папір, акварель. 31×22,5

59 БОГДАНОВ-БЄЛЬСЬКИЙ МИКОЛА ПЕТРОВИЧ. 1868—1945
ЗА ЧИТАННЯМ ЛИСТА. 1892
Полотно, олія. 47×35

60 ШІЛЬДЕР АНДРІЙ МИКОЛАЙОВИЧ. 1861—1916
СТЕП
Полотно, олія. 116,3×178,5

61 ШІЛЬДЕР АНДРІЙ МИКОЛАЙОВИЧ. 1861—1916
СТЕП. Фрагмент
Полотно, олія. 116,3×178,5

62 ЖУКОВСЬКИЙ СТАНІСЛАВ ЮЛІАНОВИЧ. 1873—1944
ВІДЛИГА. 1903
Полотно, олія 53,7×89

63, 64 ВОЛОШИНОВ ЄВДОКИМ ГНАТОВИЧ. 1824—1913
ЧОРТОПОЛОХ
Полотно, олія. 132×81,5

65 ВАСНЕЦОВ АПОЛЛІНАРІЙ МИХАЙЛОВИЧ. 1856—1933
ОСІННЄ ЛИСТЯ. 1910
Полотно, олія. 124,5×178,5

66 НЕСТЕРОВ МИХАЙЛО ВАСИЛЬОВИЧ. 1862—1942
СКИТНИК. 1890-і рр.
Полотно на картоні, олія. 34×14,3

67 КОРОВІН КОСТЯНТИН ОЛЕКСІЙОВИЧ. 1861—1939
КРИМ. КВІТУЧИЙ МИГДАЛЬ
Дерево, олія. 24×35,5

68 БОГОМАЗОВ ОЛЕКСАНДР КОСТЯНТИНОВИЧ. 1880—1930
У КАЧАЛЦІ
Полотно на картоні, олія. 32,2×59,5

69 ЖУКОВСЬКИЙ СТАНІСЛАВ ЮЛІАНОВИЧ. 1873—1944
ІНТЕР'ЄР
Полотно на картоні, олія. 70,5×49

70 ТРУБЕЦЬКОЙ ПАВЛО ПЕТРОВИЧ. 1866—1938
ПОРТРЕТ НЕВІДОМОГО. 1899
Бронза. 41,5×16×14

71 ШАРПАНТЬЄ ФЕЛІКС. Друга половина XIX ст. Франція
ІМПРОВІЗАТОР. 1880-і рр.
Бронза. 41,5×16×14

РАДЯНСЬКЕ МИСТЕЦТВО

72 КУСТОДІЄВ БОРИС МИХАЙЛОВИЧ. 1878—1927
ПЕЙЗАЖ. 1917
Полотно, олія. 54×71

73. ВОЛОКИДІН ПАВЛО ГАВРИЛОВИЧ. 1877—1936
У ЖОВТОМУ КАПЕЛЮШКУ. 1923
Полотно на картоні, олія. 46×34

74 КРИЧЕВСЬКИЙ ФЕДІР ГРИГОРОВИЧ. 1879—1947
АВТОПОРТРЕТ У СВИТЦІ. 1924
Дерево, олія. 123×89

75 БУРАЧЕК МИКОЛА ГРИГОРОВИЧ. 1871—1942
ПАЛАЦ. 1918
Картон, олія. 18×21,5

76 ГРАБАР ІГОР ЕММАНУЇЛОВИЧ. 1871—1960
НОВИЙ ЗРУБ (НА БУДОВІ). 1928
Полотно, олія. 70×101,7

77 МАШКОВ ІЛЛЯ ІВАНОВИЧ. 1881—1944
НАТЮРМОРТ. 1910-і рр.
Полотно, олія. 61×50

78 САР'ЯН МАРТІРОС СЕРГІЙОВИЧ. 1880—1972
ДОРОГА. 1924
Полотно, олія. 48×57

79 КОЛЕСНИКОВ СТЕПАН ФЕДОРОВИЧ. 1879—1955
ОСІНЬ. 1920-і рр.
Полотно, олія. 39,5×45,8

80 ФАЛЬК РОБЕРТ РАФАЇЛОВИЧ. 1886—1958
ПОРТРЕТ СТАРОЇ. 1932
Полотно, олія. 90,5×73

81 ТРОХИМЕНКО КАРПО ДЕМ'ЯНОВИЧ. 1885—1979
У КОЛГОСПНОМУ КЛУБІ 1936
Полотно, олія. 90×119

82 ТУРЖАНСЬКИЙ ЛЕОНАРД ВІКТОРОВИЧ. 1875—1945
ХАТА. СОНЯЧНИЙ ДЕНЬ 1930-і рр.
Картон на полотні, олія. 63×104

83 МАШКОВ ІЛЛЯ ІВАНОВИЧ. 1881—1944
БУЗОК. 1930-і рр.
Полотно, олія. 69,5×60,5

84 ГЕРАСИМОВ СЕРГІЙ ВАСИЛЬОВИЧ. 1885—1964
ПРИВАЛ НА КАВКАЗІ. 1938
Полотно, олія. 66,5×89

85 МАНЕВИЧ АБРАМ АНШЕЛОВИЧ. 1881—1942
ВУЛИЦЯ
Полотно, олія. 58×64,8

86 РЯЖСЬКИЙ ГЕОРГІЙ ГЕОРГІЙОВИЧ. 1895—1952
ПОРТРЕТ ДІВЧИНИ (ЗАЛІЗНИЧНИЦЯ). 1939
Полотно, олія. 50×40,5

87 ОСЬМЬОРКІН ОЛЕКСАНДР ОЛЕКСАНДРОВИЧ. 1892—1953
У БАКЕНЩИКА. 1938
Полотно, олія. 70,5×92,7

88 ГРАБАР ІГОР ЕММАНУЇЛОВИЧ. 1871—1960
ОСТАННІЙ СНІГ. 1940
Полотно, олія. 78×95

89 БОЖІЙ МИХАЙЛО МИХАЙЛОВИЧ. Нар. 1911 р.
ЖІНОЧИЙ ПОРТРЕТ. 1927
Полотно, олія. 80×60

90 СВІТЛИЦЬКИЙ ГРИГОРІЙ ПЕТРОВИЧ. 1872—1948
ЧАЙКОВСЬКИЙ НА УКРАЇНІ 1947
Полотно, олія. 170,5×120

91 ТАРХОВ ДМИТРО МИХАЙЛОВИЧ. 1893—1948
СТАРА РУСЬ. 1945
Полотно, олія. 90×130

92 ЖУКОВ МИКОЛА МИКОЛАЙОВИЧ. 1908—1973
В. І. ЛЕНІН. 1970
Папір, кольорова літографія. 40,6×52,5

93 РОЖДЕСТВЕНСЬКИЙ ВАСИЛЬ ВАСИЛЬОВИЧ. 1884—1963
ОСІНЬ. 1940-і рр.
Полотно, олія. 85,3×64

94, 95 ОДАЙНИК ВАДИМ ІВАНОВИЧ. 1925—1984
ЖНИВА. 1949
Полотно, олія. 75×115

96 БЯЛИНИЦЬКИЙ-БІРУЛЯ ВІТОЛЬД КАЕТАНОВИЧ. 1872—1957
ВІДЛИГА
Полотно, олія. 53×71

97 ЯБЛОНСЬКА ТЕТЯНА НИЛІВНА. Нар. 1917 р.
У САДКУ. 1957
Полотно, олія. 61,5×76,5

98, 99 НЕМЕНСЬКИЙ БОРИС МИХАЙЛОВИЧ. Нар. 1922 р.
ПРО ДАЛЕКИХ І БЛИЗЬКИХ. 1953
Полотно, олія. 81×121

100 НИСЬКИЙ ГЕОРГІЙ ГРИГОРОВИЧ. Нар. 1903 р.
РАНОК НА ВОЛЗІ. 1954
Полотно, олія. 180×131

101 ПОПКОВ ВІКТОР ЮХИМОВИЧ. 1932—1974
МОЛОДІСТЬ. 1957
Полотно, олія. 120×167

102 ПЛАСТОВ АРКАДІЙ ОЛЕКСАНДРОВИЧ. 1893—1972
ДІВЧИНКА З КАЧКОЮ. 1959
Полотно на картоні, олія. 70×50

103 ГЛУЩЕНКО МИКОЛА ПЕТРОВИЧ. 1901—1977
БЕРЕЗНЕВЕ СОНЦЕ. 1956
Полотно, олія. 80×100

104 КЛИМОНОВ ВОЛОДИМИР ТРОХИМОВИЧ. Нар. 1925 р.
1919 РІК. 1958
Полотно, олія. 109×100

105 СУЛИМЕНКО ПЕТРО СТЕПАНОВИЧ. Нар. 1914 р.
МАТРОСИ ЖОВТНЯ. 1963
Полотно, олія. 240×170

106 МОЙСЕЄНКО ОВСІЙ ОВСІЙОВИЧ. Нар. 1916 р.
ПЕРША КІННА. 1957
Полотно, олія. 200×380

107 ГУЄЦЬКИЙ СЕМЕН НАТАНОВИЧ. 1902—1974
НА ПОРОЗІ ЖИТТЯ. 1963
Полотно, олія. 186×260

108 СЄРОВ ВОЛОДИМИР ОЛЕКСАНДРОВИЧ. 1910—1968
Ескіз до картини «23 СІЧНЯ 1924 р. ГОРКИ». 1964
Полотно на картоні, олія. 68×49,5

109 МЄШКОВ ВАСИЛЬ ВАСИЛЬОВИЧ. 1893—1963
ОЛЕНЯЧИЙ ОСТРІВ. 1961
Полотно, олія. 32×105

110 МЕЛІХОВ ГЕОРГІЙ СТЕПАНОВИЧ. 1908—1985
ГАННУСЯ. 1962
Полотно, олія. 80×100

111 ГОЛЕМБІЄВСЬКА ТЕТЯНА МИКОЛАЇВНА. Нар. 1936 р.
З НАГОРОДОЮ. 1962
Полотно, олія. 168×270

112 КУГАЧ ЮРІЙ ПЕТРОВИЧ. Нар. 1917 р.
НАПЕРЕДОДНІ СВЯТА. 1962
Полотно, олія. 125×190

113 ЛОМИКІН КОСТЯНТИН МАТВІЙОВИЧ. Нар. 1924 р.
«РІДНА МАТИ МОЯ». 1964
Полотно, олія. 95×83

114 РОМАДІН МИКОЛА МИХАЙЛОВИЧ. Нар. 1903 р.
МЕРЕХТЛИВИЙ ДЕНЬ. 1964
Картон, олія. 42×107

115 ПИМЕНОВ ЮРІЙ (ГЕОРГІЙ) ІВАНОВИЧ. 1903—1977
КАЛІНІНГРАД. ДОЩ. 1968
Полотно, олія. 80×80

116 ПЛАМЕНИЦЬКИЙ АНАТОЛІЙ ОЛЕКСАНДРОВИЧ. (1920—1982)
СЕРГІЙ ЄСЕНІН. 1968
Полотно, олія. 207×130

117 ТУРАНСЬКИЙ ОЛЕКСАНДР ОЛЕКСІЙОВИЧ. Нар. 1936 р.
КРОК СТОЛІТТЯ. 1971
Полотно, олія. 201×203

118 ВАРЕННЯ МИКОЛА РОМАНОВИЧ. Нар. 1917 р.
ГУЦУЛЬЩИНА — КРАЙ МИСТЕЦТВА. 1975
Полотно, олія. 121,5×161

119 ЧУЙКОВ ВАЛЕРІЙ ЄВГЕНІЙОВИЧ. Нар. 1949 р.
БАМ. БУДІВНИЧИЙ СЕЛИЩА УРГАЛ КОМСОМОЛЕЦЬ БИЧКО. 1976
Полотно, олія. 185×100

120 ЩЕРБАКОВ ОЛЕКСІЙ ВСЕВОЛОДОВИЧ. Нар. 1927 р.
КОВПАЧНИЙ ПРОВУЛОК. 1970
Полотно, олія. 51×61

121 МИНАЄВ ВОЛОДИМИР МИКОЛАЙОВИЧ. Нар. 1912 р.
ПАРИЖ. ПАРК МОН-СУРІ (Із серії «ПО ЛЕНІНСЬКИХ МІСЦЯХ»). 1977
Папір, темпера, пастель. 47×49,5

122 АНДРЄЄВ МИКОЛА АНДРІЙОВИЧ. 1873—1932
ЛЕНІН ЗА КАФЕДРОЮ. 1920-і рр.
Гіпс тонований. 29,2×33×32,5

123 МАНІЗЕР МАТВІЙ ГЕНРІХОВИЧ. 1891—1966
ЗОЯ КОСМОДЕМ'ЯНСЬКА. 1942
Бронза. 49,6×18×16,6

124 КОНЬОНКОВ СЕРГІЙ ТРОХИМОВИЧ. 1874—1971
ЮНА ПАРТИЗАНКА СМОЛЕНЩИНИ. 1962
Мармур. 72,2×64×39

125 КАВАЛЕРІДЗЕ ІВАН ПЕТРОВИЧ. 1887—1978
БІЛЯ ПЕРЕКОПУ. 1957
Оргскло. 65,7×23,5×22

126 АНІКУШИН МИХАЙЛО КОСТЯНТИНОВИЧ. Нар. 1917 р.
ПОРТРЕТ А. П. ЧЕХОВА. 1961
Бронза. 49×23×29

127 ФАВОРСЬКИЙ ВОЛОДИМИР АНДРІЙОВИЧ. 1886—1964
ЗАТЕМНЕННЯ (Ілюстрація до «СЛОВА ПРО ІГОРІВ ПОХІД»). 1950
Папір, ксилографія. 7,8×13

128 ЯКУТОВИЧ ГЕОРГІЙ ВЯЧЕСЛАВОВИЧ. Нар. 1930 р.
ДОЧКИ ЯРОСЛАВА МУДРОГО ГАННА ТА ЄЛИЗАВЕТА (Ілюстрація до драми І. Кочерги «ЯРОСЛАВ МУДРИЙ»). 1962
Папір, ліногравюра. 48×32, 29×23

129 МАЛАКОВ ГЕОРГІЙ ВАСИЛЬОВИЧ. 1928—1979
ВІДГРИМІЛО (Із серії «КИЇВ У ГРІЗНУ ГОДИНУ»). 1967
Папір, картон, ліногравюра. 111,1×79,6

130 БАСОВ ВЕНІАМІН МАТВІЙОВИЧ. Нар. 1913 р.
Ілюстрація до оповідання А. П. Чехова «ДУШЕЧКА». 1967
Папір, гуаш. 56×70,5

131 ГУТМАН ГРИГОРІЙ ПЕТРОВИЧ. Нар. 1916 р.
ВІДМІННИЦЯ СВІТЛАНА. 1970-і рр.
Мармур. 44,5×27×35

132 ФРАДКІН МОЙСЕЙ ЗАЛМАНОВИЧ. 1904—1974
БУДИНОЧОК МАТРЬОШКИ. 1960
Папір, кольорова ліногравюра. 26×28,5

ПЕРЕЧЕНЬ РЕПРОДУКЦИЙ

ЗАПАДНОЕВРОПЕЙСКОЕ ИСКУССТВО

1 НЕИЗВЕСТНЫЙ ХУДОЖНИК. XVII в. Венецианская школа
ВЕНЕРА И АМУР
Холст, масло. 58,5×85,8 *

2 РООС ФИЛИПП ПЕТЕР (РОЗА ДА ТИВОЛИ). 1655(1657)—1706. Италия
ГРОТ С ВОДОПАДОМ
Холст, масло. 96,5×80,6

3, 4 БЕЛЛОТТО БЕРНАРДО (?). 1720—1780. Италия
ГОРОДСКАЯ ПЛОЩАДЬ. 1773
Холст, масло. 80×93

5, 6 ДУЗИ КОЗРОЕ. 1803—1860. Италия. КОНЦЕРТ. 1850-е гг.
Холст, масло. 144×190

7 МИРЕВЕЛЬТ МИХИЛЬ ЯНС ВАН. 1567—1641. Голландия
ПОРТРЕТ ВОЕННОГО. 1630-е гг.
Холст, масло. 102×84

8 ХУДОЖНИК КРУГА НИКОЛА ДЕ ЛАРЖИЛЬЕРА. XVIII в. Франция
ПОРТРЕТ ЮНОШИ. Фрагмент
Холст, масло. 64,5×51,4

9 УДЕН ЛУКАС ВАН. 1595—1672. Фландрия. ПЕЙЗАЖ
Холст, масло. 45×61

10 ТЮЛЬДЕН ТЕОДОР ВАН. 1606—1676(1669). Фландрия
ГЕРКУЛЕС ВЫБИРАЕТ ЖИЗНЕННЫЙ ПУТЬ. 1660-е гг.
Холст, масло. 89,5×115,8

11 ФЕЙТ ЯН. 1611—1661. Фландрия
ОХОТНИЧЬИ ТРОФЕИ. 1650-е гг.
Холст, масло. 116×153

12 ГОЙЕН ЯН ВАН. 1596—1656. Голландия
ГОЛЛАНДСКИЙ ПЕЙЗАЖ. 1651
Дерево, масло. 31×53

13 ГОЙЕН ЯН ВАН. 1596—1656. Голландия
ГОЛЛАНДСКИЙ ПЕЙЗАЖ. 1651. Фрагмент
Дерево, масло. 31×53

14 КУГЛЕНБУРГ. XVIII в. Голландия. НА КУХНЕ. 1813
Дерево, масло. 34,5×28,6

15, 16 ЛАНКРЕ НИКОЛА 1690—1743. Франция
СЦЕНА В САДУ. 1730-е гг.
Холст, масло. 50×48

17 РОБЕР ГЮБЕР. 1733—1808. Франция
РАЗВАЛИНЫ С АРКОЙ. 1786
Холст, масло. 83×61 (овал)

* Все размеры даны в сантиметрах.

18 ВИЖЕ-ЛЕБРЕН МАРИ ЛУИЗА ЭЛИЗАБЕТ. 1755—1842. Франция
ПОРТРЕТ ГРАФИНИ ЛИТТЫ
Холст, масло. 57,2×46,2

19 ПЛЕССИ (ШАРЛЬ?). Вторая половина XIX в. Франция
СЕРЫЙ ДЕНЬ
Холст, масло. 43×67

20 МАДЛИН ПОЛЬ. 1863—1920. Франция
КУПАЛЬЩИЦЫ. 1912
Картон на дереве, масло. 80,5×100 (верхний край закруглен)

21 СТАНИСЛАВСКИЙ ЯН. 1860—1907. Польша
РАННЯЯ ВЕСНА. 1902
Холст на картоне, масло. 21,5×31

УКРАИНСКОЕ ДОРЕВОЛЮЦИОННОЕ ИСКУССТВО

22 НЕИЗВЕСТНЫЙ ХУДОЖНИК
ПОРТРЕТ МАКСИМА ЖЕЛЕЗНЯКА. Начало XIX в.
Холст, масло. 67,5×51,5

23 НЕИЗВЕСТНЫЙ ХУДОЖНИК
ПРОРОК ДАНИИЛ. Конец XVIII — начало XIX в.
Дерево, клеевой грунт, масло, лак, позолота. 128×75,9

24 ШТЕРНБЕРГ ВАСИЛИЙ ИВАНОВИЧ. 1818—1845
АСКОЛЬДОВА МОГИЛА
Первая половина XIX в.
Холст, масло. 43,8×59,2

25 ШЕВЧЕНКО ТАРАС ГРИГОРЬЕВИЧ. 1814—1861
СУДНАЯ РАДА. 1844
Офорт. 23,5×29,8

26 ЖЕМЧУЖНИКОВ ЛЕВ ИВАНОВИЧ. 1823—1918
ЛИРНИК. 1861
Офорт. 18,5×15

27 СОКОЛОВ ИВАН ИВАНОВИЧ. 1823—1918
СВАДЬБА. 1860
Холст, масло. 84×122,5

28 БЕЗПЕРЧИЙ ДМИТРИЙ ИВАНОВИЧ. 1825—1913
БАНДУРИСТ. Начало 1860-х гг.
Холст, масло. 125,8×98,2

29 ВАСИЛЬКОВСКИЙ СЕРГЕЙ ИВАНОВИЧ. 1854—1917
В ЛЕТНИЙ ДЕНЬ. 1884
Холст, масло. 71,5×131

30 ЛЕВЧЕНКО ПЕТР АЛЕКСЕЕВИЧ. 1856—1917
ПОЗДНЯЯ ОСЕНЬ (ГЛУХОМАНЬ)
Холст на картоне, масло. 26,5×37

31 ПИМОНЕНКО НИКОЛАЙ КОРНИЛОВИЧ. 1862—1912
СТРАСТНОЙ ЧЕТВЕРГ. 1904
Холст, масло. 49,8×39,7

32 СВЕТОСЛАВСКИЙ СЕРГЕЙ ИВАНОВИЧ. 1857—1931
ВЕСНА. МОСТИК. 1890-е гг.
Холст на картоне, масло. 32,2×40,7

33 СВЕТОСЛАВСКИЙ СЕРГЕЙ ИВАНОВИЧ. 1857—1931
ДВОРИК, ОСВЕЩЕННЫЙ СОЛНЦЕМ. 1890-е гг.
Холст, масло. 84,3×102,5

34 ПИМОНЕНКО НИКОЛАЙ КОРНИЛОВИЧ. 1862—1912
РЕВНОСТЬ. 1901
Холст, масло. 44,3×55

35 ВАСИЛЬКОВСКИЙ СЕРГЕЙ ИВАНОВИЧ. 1854—1917
С ПАСТБИЩА. 1880
Холст, масло. 34×47

36 ВАСИЛЬКОВСКИЙ СЕРГЕЙ ИВАНОВИЧ. 1854—1917
ЯРМАРКА В ПОЛТАВЕ. 1902
Фрагмент
Холст, масло. 60×106,5

37, 38 ВАСИЛЬКОВСКИЙ СЕРГЕЙ ИВАНОВИЧ. 1854—1917
ЯРМАРКА В ПОЛТАВЕ. 1902
Холст, масло. 60×106,5

39, 40 КРИЧЕВСКИЙ ФЕДОР ГРИГОРЬЕВИЧ. 1879—1947
ТРИ ПОКОЛЕНИЯ. 1913
Дерево, масло. 28×48

РУССКОЕ ДОРЕВОЛЮЦИОННОЕ ИСКУССТВО

41 КИПРЕНСКИЙ ОРЕСТ АДАМОВИЧ. 1782—1836
МУЖСКОЙ ПОРТРЕТ. 1814
Бумага, итальянский карандаш. 25×21,7

42 БОРОВИКОВСКИЙ ВЛАДИМИР ЛУКИЧ. 1757—1825
ПОРТРЕТ ПАВЛА I. 1796
Холст, масло. 80×64

43 ОРЛОВСКИЙ АЛЕКСАНДР ОСИПОВИЧ. 1777—1832
БИТВА. 1816
Металл, масло. 40,6×32,3

44 НЕВРЕВ НИКОЛАЙ ВАСИЛЬЕВИЧ. 1830—1904
ДЕД ВАСИЛИЙ. 1858
Холст, масло. 83,7×67,2

45, 46 ШУСТОВ НИКОЛАЙ СЕМЕНОВИЧ. 1834—1868
ИВАН III РАЗРЫВАЕТ ХАНСКУЮ ГРАМОТУ. 1862
Холст, масло. 169×218

47 КАМЕНЕВ ЛЕВ ЛЬВОВИЧ. 1833—1886
ЖАТВА (ПЕЙЗАЖ СО СТОГАМИ). 1872
Холст, масло. 70×114

48 МАКОВСКИЙ КОНСТАНТИН ЕГОРОВИЧ. 1839—1915
УТРО ПОМЕЩИЦЫ. 1883
Холст, масло. 90×66,5

49 ЖУРАВЛЕВ ФИРС СЕРГЕЕВИЧ. 1836—1901
ЖЕНА-МОДНИЦА. 1872
Холст, масло. 115,5×87

50 ХРУЦКИЙ ИВАН ТРОФИМОВИЧ. 1810—1885
ЦВЕТЫ И ФРУКТЫ. 1836
Холст, масло. 79×111,5

51 АЙВАЗОВСКИЙ ИВАН КОНСТАНТИНОВИЧ. 1817—1900
МОРСКОЙ ПЕЙЗАЖ. 1870-е гг.
Холст, масло. 70×98

52 РЕПИН ИЛЬЯ ЕФИМОВИЧ. 1844—1930
У РОЯЛЯ. 1880
Холст, масло. 46×36

53 КУИНДЖИ АРХИП ИВАНОВИЧ. 1842—1910
ГОРНЫЙ СКЛОН. 1887
Картон, масло. 16×10,5

54 ШИШКИН ИВАН ИВАНОВИЧ. 1832—1898
ОПУШКА ДУБОВОЙ РОЩИ.
Холст на картоне, масло. 37,8×57,7

55 БАШКИРЦЕВА МАРИЯ КОНСТАНТИНОВНА. 1860—1884
ГОРЕ. 1882 (?)
Холст, масло. 72,8×91,8

56 СЕРОВ ВАЛЕНТИН АЛЕКСАНДРОВИЧ. 1865—1911
ПОРТРЕТ АНТОНИО Д'АНДРАДЕ. 1886
Холст, масло. 60,5×49,2

57 САВРАСОВ АЛЕКСЕЙ КОНДРАТЬЕВИЧ. 1830—1897
ОТТЕПЕЛЬ. 1890
Тонированная бумага, итальянский и графический карандаши, белила. 37,2×26,8

58 МАКОВСКИЙ ВЛАДИМИР ЕГОРОВИЧ. 1846—1920
СТАРИЧКИ. 1889
Бумага, акварель. 31×22,5

59 БОГДАНОВ-БЕЛЬСКИЙ НИКОЛАЙ ПЕТРОВИЧ. 1868—1945
ЗА ЧТЕНИЕМ ПИСЬМА. 1892
Холст, масло. 47×35

60 ШИЛЬДЕР АНДРЕЙ НИКОЛАЕВИЧ. 1861—1916
СТЕПЬ
Холст, масло. 116,3×178,5

61 ШИЛЬДЕР АНДРЕЙ НИКОЛАЕВИЧ. 1861—1916
СТЕПЬ. Фрагмент
Холст, масло. 116,3×178,5

62 ЖУКОВСКИЙ СТАНИСЛАВ ЮЛИАНОВИЧ. 1873—1944
ОТТЕПЕЛЬ. 1903
Холст, масло 53,7×89

63, 64 ВОЛОШИНОВ ЕВДОКИМ ИГНАТЬЕВИЧ. 1824—1913
ЧЕРТОПОЛОХ
Холст, масло. 132×81,5

65 ВАСНЕЦОВ АПОЛЛИНАРИЙ МИХАЙЛОВИЧ. 1856—1933
ОСЕННИЕ ЛИСТЬЯ. 1910
Холст, масло. 124,5×178,5

66 НЕСТЕРОВ МИХАИЛ ВАСИЛЬЕВИЧ. 1862—1942
СКИТНИК. 1890-е гг.
Холст на картоне, масло. 34×14,3

67 КОРОВИН КОНСТАНТИН АЛЕКСЕЕВИЧ. 1861—1939
КРЫМ. ЦВЕТУЩИЙ МИНДАЛЬ
Дерево, масло. 24×35,5

68 БОГОМАЗОВ АЛЕКСАНДР КОНСТАНТИНОВИЧ. 1880—1930
В КАЧАЛКЕ
Холст на картоне, масло. 32,2×59,5

69 ЖУКОВСКИЙ СТАНИСЛАВ ЮЛИАНОВИЧ. 1873—1944
ИНТЕРЬЕР
Холст на картоне, масло. 70,5×49

70 ТРУБЕЦКОЙ ПАВЕЛ ПЕТРОВИЧ. 1866—1938
ПОРТРЕТ НЕИЗВЕСТНОГО. 1899
Бронза. 41,5×16×14

71 ШАРПАНТЬЕ ФЕЛИКС. Вторая половина XIX в. Франция
ИМПРОВИЗАТОР. 1880-е гг.
Бронза. 41,5×16×14

СОВЕТСКОЕ ИСКУССТВО

72 КУСТОДИЕВ БОРИС МИХАЙЛОВИЧ. 1878—1927
ПЕЙЗАЖ. 1917
Холст, масло. 54×71

73 ВОЛОКИДИН ПАВЕЛ ГАВРИЛОВИЧ. 1877—1936
В ЖЕЛТОЙ ШЛЯПКЕ. 1923
Холст на картоне, масло. 46×34

74 КРИЧЕВСКИЙ ФЕДОР ГРИГОРЬЕВИЧ. 1879—1947
АВТОПОРТРЕТ В СВИТКЕ. 1924
Дерево, масло. 123×89

75 БУРАЧЕК НИКОЛАЙ ГРИГОРЬЕВИЧ. 1871—1942
ДВОРЕЦ. 1918
Картон, масло. 18×21,5

76 ГРАБАРЬ ИГОРЬ ЭММАНУИЛОВИЧ. 1871—1960
НОВЫЙ СРУБ (НА СТРОЙКЕ). 1928
Холст, масло. 70×101,7

77 МАШКОВ ИЛЬЯ ИВАНОВИЧ. 1881—1944
Натюрморт. 1910-е гг.
Холст, масло. 61×50

78 САРЬЯН МАРТИРОС СЕРГЕЕВИЧ. 1880—1972
ДОРОГА. 1924
Холст, масло. 48×57

79 КОЛЕСНИКОВ СТЕПАН ФЕДОРОВИЧ. 1879—1955
ОСЕНЬ. 1920-е гг.
Холст, масло. 39,5×45,8

80 ФАЛЬК РОБЕРТ РАФАИЛОВИЧ. 1886—1958
ПОРТРЕТ СТАРУХИ. 1932
Холст, масло. 90,5×73

81 ТРОХИМЕНКО КАРП ДЕМЬЯНОВИЧ. 1885—1979
В КОЛХОЗНОМ КЛУБЕ. 1936
Холст, масло. 90×119

82 ТУРЖАНСКИЙ ЛЕОНАРД ВИКТОРОВИЧ. 1875—1945
ИЗБА. СОЛНЕЧНЫЙ ДЕНЬ 1930-е гг.
Картон на холсте, масло. 63×104

83 МАШКОВ ИЛЬЯ ИВАНОВИЧ. 1881—1944
СИРЕНЬ. 1930-е гг.
Холст, масло. 69,5×60,5

84 ГЕРАСИМОВ СЕРГЕЙ ВАСИЛЬЕВИЧ. 1885—1964
ПРИВАЛ НА КАВКАЗЕ. 1938
Холст, масло. 66,5×89

85 МАНЕВИЧ АБРАМ АНШЕЛОВИЧ. 1881—1942
УЛИЦА
Холст, масло. 58×64,8

86 РЯЖСКИЙ ГЕОРГИЙ ГЕОРГИЕВИЧ. 1895—1952
ПОРТРЕТ ДЕВУШКИ (ЖЕЛЕЗНОДОРОЖНИЦА). 1939
Холст, масло. 50×40,5

87 ОСЬМЕРКИН АЛЕКСАНДР АЛЕКСАНДРОВИЧ. 1892—1953
У БАКЕНЩИКА. 1938
Холст, масло. 70,5×92,7

88 ГРАБАРЬ ИГОРЬ ЭММАНУИЛОВИЧ. 1871—1960
ПОСЛЕДНИЙ СНЕГ. 1940
Холст, масло. 78×95

89 БОЖИЙ МИХАИЛ МИХАЙЛОВИЧ. Род. в 1911 г.
ЖЕНСКИЙ ПОРТРЕТ. 1927
Холст, масло. 80×60

90 СВЕТЛИЦКИЙ ГРИГОРИЙ ПЕТРОВИЧ. 1872—1948
ЧАЙКОВСКИЙ НА УКРАИНЕ. 1947
Холст, масло. 170,5×120

91 ТАРХОВ ДМИТРИЙ МИХАЙЛОВИЧ. 1893—1948
СТАРАЯ РУСЬ. 1945
Холст, масло. 90×130

92 ЖУКОВ НИКОЛАЙ НИКОЛАЕВИЧ. 1908—1973
В. И. ЛЕНИН. 1970
Бумага, цветная литография. 40,6×52,5

93 РОЖДЕСТВЕНСКИЙ ВАСИЛИЙ ВАСИЛЬЕВИЧ. 1884—1963
ОСЕНЬ. 1940-е гг.
Холст, масло. 85,3×64

94, 95 ОДАЙНИК ВАДИМ ИВАНОВИЧ. 1925—1984
ЖАТВА. 1949
Холст, масло. 75×115

96 БЯЛЫНИЦКИЙ-БИРУЛЯ ВИТОЛЬД КАЭТАНОВИЧ. 1872—1957
ОТТЕПЕЛЬ
Холст, масло. 53×71

97 ЯБЛОНСКАЯ ТАТЬЯНА НИЛОВНА. Род. в 1917 г.
В САДИКЕ. 1957
Холст, масло. 61,5×76,5

98, 99 НЕМЕНСКИЙ БОРИС МИХАЙЛОВИЧ. Род. в 1922 г.
О ДАЛЕКИХ И БЛИЗКИХ. 1953
Холст, масло. 81×121

100 НИССКИЙ ГЕОРГИЙ ГРИГОРЬЕВИЧ. Род. в 1903 г.
УТРО НА ВОЛГЕ. 1954
Холст, масло. 180×131

101 ПОПКОВ ВИКТОР ЕФИМОВИЧ. 1932—1974
МОЛОДОСТЬ. 1957
Холст, масло. 120×167

102 ПЛАСТОВ АРКАДИЙ АЛЕКСАНДРОВИЧ. 1893—1972
ДЕВОЧКА С УТКОЙ. 1959
Холст на картоне, масло. 70×50

103 ГЛУЩЕНКО НИКОЛАЙ ПЕТРОВИЧ. 1901—1977
МАРТОВСКОЕ СОЛНЦЕ. 1956
Холст, масло. 80×100

104 КЛИМОНОВ ВЛАДИМИР ТРОФИМОВИЧ. Род. в 1925 г.
1919 ГОД. 1958
Холст, масло. 109×100

105 СУЛИМЕНКО ПЕТР СТЕПАНОВИЧ. Род. в 1914 г.
МАТРОСЫ ОКТЯБРЯ. 1963
Холст, масло. 240×170

106 МОИСЕЕНКО ЕВСЕЙ ЕВСЕЕВИЧ. Род. в 1916 г.
ПЕРВАЯ КОННАЯ. 1957
Холст, масло. 200×380

107 ГУЕЦКИЙ СЕМЕН НАТАНОВИЧ. 1902—1974
НА ПОРОГЕ ЖИЗНИ. 1963
Холст, масло. 186×260

108 СЕРОВ ВЛАДИМИР АЛЕКСАНДРОВИЧ. 1910—1968
Эскиз к картине «23 ЯНВАРЯ 1924 г. ГОРКИ». 1964
Холст на картоне, масло. 68×49,5

109 МЕШКОВ ВАСИЛИЙ ВАСИЛЬЕВИЧ. 1893—1963
ОЛЕНИЙ ОСТРОВ. 1961
Холст, масло. 32×105

110 МЕЛИХОВ ГЕОРГИЙ СТЕПАНОВИЧ. 1908—1985
АННУШКА. 1962
Холст, масло. 80×100

111 ГОЛЕМБИЕВСКАЯ ТАТЬЯНА НИКОЛАЕВНА. Род. в 1936 г.
С НАГРАДОЙ. 1962
Холст, масло. 168×270

112 КУГАЧ ЮРИЙ ПЕТРОВИЧ. Род. в 1917 г.
НАКАНУНЕ ПРАЗДНИКА. 1962
Холст, масло. 125×190

113 ЛОМЫКИН КОНСТАНТИН МАТВЕЕВИЧ. Род. в 1924 г.
«РІДНА МАТИ МОЯ». 1964
Холст, масло. 95×83

114 РОМАДИН НИКОЛАЙ МИХАЙЛОВИЧ. Род. в 1903 г.
МЕРЦАЮЩИЙ ДЕНЬ. 1964
Картон, масло. 42×107

115 ПИМЕНОВ ЮРИЙ (ГЕОРГИЙ) ИВАНОВИЧ. 1903—1977
КАЛИНИНГРАД. ДОЖДЬ. 1968
Холст, масло. 80×80

116 ПЛАМЕНИЦКИЙ АНАТОЛИЙ АЛЕКСАНДРОВИЧ. 1920—1982
СЕРГЕЙ ЕСЕНИН. 1968
Холст, масло. 207×130

117 ТУРАНСКИЙ АЛЕКСАНДР АЛЕКСЕЕВИЧ. Род. в 1936 г.
ШАГ ВЕКА. 1971
Холст, масло. 201×203

118 ВАРЕННЯ НИКОЛАЙ РОМАНОВИЧ. Род. в 1917 г.
ГУЦУЛЬЩИНА — КРАЙ ИСКУССТВА. 1975
Холст, масло. 121,5×161

119 ЧУЙКОВ ВАЛЕРИЙ ЕВГЕНЬЕВИЧ. Род. в 1949 г.
БАМ. СТРОИТЕЛЬ ПОСЕЛКА УРГАЛ КОМСОМОЛЕЦ БЫЧКО. 1976
Холст, масло. 185×100

120 ЩЕРБАКОВ АЛЕКСЕЙ ВСЕВОЛОДОВИЧ. Род. в 1927 г.
КОЛПАЧНЫЙ ПЕРЕУЛОК. 1970
Холст, масло. 51×61

121 МИНАЕВ ВЛАДИМИР НИКОЛАЕВИЧ. Род. в 1912 г.
ПАРИЖ. ПАРК МОН-СУРИ (Из серии «ПО ЛЕНИНСКИМ МЕСТАМ»). 1977
Бумага, темпера, пастель. 47×49,5

122 АНДРЕЕВ НИКОЛАЙ АНДРЕЕВИЧ. 1873—1932
ЛЕНИН ЗА КАФЕДРОЙ. 1920-е гг.
Гипс тонированный. 29,2×33×32,5

123 МАНИЗЕР МАТВЕЙ ГЕНРИХОВИЧ. 1891—1966
ЗОЯ КОСМОДЕМЬЯНСКАЯ. 1942
Бронза. 49,6×18×16,6

124 КОНЕНКОВ СЕРГЕЙ ТРОФИМОВИЧ. 1874—1971
ЮНАЯ ПАРТИЗАНКА СМОЛЕНЩИНЫ. 1962
Мрамор. 72,2×64×39

125 КАВАЛЕРИДЗЕ ИВАН ПЕТРОВИЧ. 1887—1978
У ПЕРЕКОПА. 1957
Оргстекло. 65,7×23,5×22

126 АНИКУШИН МИХАИЛ КОНСТАНТИНОВИЧ. Род. в 1917 г.
ПОРТРЕТ А. П. ЧЕХОВА. 1961
Бронза. 49×23×29

127 ФАВОРСКИЙ ВЛАДИМИР АНДРЕЕВИЧ. 1886—1964
ЗАТМЕНИЕ (Иллюстрация к «СЛОВУ О ПОЛКУ ИГОРЕВЕ»). 1950
Бумага, ксилография. 7,8×13

128 ЯКУТОВИЧ ГЕОРГИЙ ВЯЧЕСЛАВОВИЧ. Род. в 1930 г.
ДОЧЕРИ ЯРОСЛАВА МУДРОГО АННА И ЕЛИЗАВЕТА (Иллюстрация к драме И. Кочерги «ЯРОСЛАВ МУДРЫЙ»). 1962
Бумага, линогравюра. 48×32, 29×23

129 МАЛАКОВ ГЕОРГИЙ ВАСИЛЬЕВИЧ. 1928—1979
ОТГРЕМЕЛО (Из серии «КИЕВ В ГРОЗНЫЙ ЧАС»). 1967
Бумага, картон, линогравюра. 111,1×79,6

130 БАСОВ ВЕНИАМИН МАТВЕЕВИЧ. Род. в 1913 г.
Иллюстрация к рассказу А. П. Чехова «ДУШЕЧКА». 1967
Бумага, гуашь. 56×70,5

131 ГУТМАН ГРИГОРИЙ ПЕТРОВИЧ. Род. в 1916 г.
ОТЛИЧНИЦА СВЕТЛАНА 1970-е гг.
Мрамор. 44,5×27×35

132 ФРАДКИН МОИСЕЙ ЗАЛМАНОВИЧ. 1904—1974
МАТРЕШКИН ДОМИК. 1960
Бумага, цветная линогравюра. 26×28,5

LIST OF ILLUSTRATIONS

47 KAMENEV, LEV LVOVICH.
1833—1886
HARVEST (LANDSCAPE WITH STACKS). 1872
Oil on canvas. 70×114 cm

48 MAKOVSKY, KONSTANTIN YEGOROVICH.
1839—1915
THE MORNING OF A LANDLADY. 1883
Oil on canvas. 90×66.5 cm

49 ZHURAVLEV, FIRS SERGEYEVICH. 1836—1901
THE STYLISH WIFE. 1872
Oil on canvas. 115.5×87 cm

50 KHRUTSKY, IVAN TROFIMOVICH. 1810—1885
FLOWERS AND FRUIT. 1836
Oil on canvas. 79×111.5 cm

51 AIVAZOVSKY, IVAN KONSTANTINOVICH.
1817—1900
A SEASCAPE. 1870s
Oil on canvas. 70×98 cm

52 REPIN, ILYA YEFIMOVICH.
1844—1930
AT THE GRAND PIANO. 1880
Oil on canvas. 46×36 cm

53 KUINDZHI, ARKHIP IVANOVICH.
1842—1910
A MOUNTAIN SLOPE. 1887
Oil on cardboard. 16×10.5 cm

54 SHISHKIN, IVAN IVANOVICH.
1832—1898
EDGE OF AN OAK GROVE
Oil on canvas pasted to cardboard. 37.8×57.7 cm

55 BASHKIRTSEVA, MARIA KONSTANTINOVNA.
1860—1884
GRIEF. 1882 (?)
Oil on canvas. 72.8×91.8 cm

56 SEROV VALENTIN ALEXANDROVICH.
1865—1911
PORTRAIT OF ANTONIO D'ANDRADE. 1886
Oil on canvas. 60.5×49.2 cm

57 SAVRASOV, ALEXEI KONDRATYEVICH.
1830—1897
THAW. 1890
Italian and lead pencils, and whites on tinted paper. 37.2×26.8 cm

58 MAKOVSKY, VLADIMIR YEGOROVICH.
1846—1920
AN OLD COUPLE. 1889
Water colour on paper. 31×22.5 cm

59 BOGDANOV-BELSKY, NIKOLAI PETROVICH. 1868—1945
READING A LETTER. 1892
Oil on canvas. 47×35 cm

60 SHILDER, ANDREI NIKOLAYEVICH.
1861—1916
STEPPE
Oil on canvas. 116.3×178.5 cm

61 SHILDER, ANDREI NIKOLAYEVICH.
1861—1916
STEPPE. Detail
Oil on canvas. 116.3×178.5 cm

62 ZHUKOVSKY, STANISLAV YULIANOVICH.
1873—1944
THAW. 1903
Oil on canvas. 53.7×89 cm

63, 64 VOLOSHINOV, YEVDOKIM IGNATYEVICH.
1824—1913
THISTLE
Oil on canvas. 132×81.5 cm

65 VASNETSOV, APOLLINARI MIKHAILOVICH.
1856—1933
AUTUMN LEAVES. 1910
Oil on canvas. 124.5×178.5 cm

66 NESTEROV, MIKHAIL VASILYEVICH.
1862—1942
A HERMIT. 1890s
Oil on canvas pasted to cardboard. 34×14.3 cm

67 KOROVIN, KONSTANTIN ALEXEYEVICH.
1861—1939
THE CRIMEA. AN ALMOND-TREE IN BLOSSOM
Oil on wood. 24×35.5 cm

68 BOGOMAZOV, ALEXANDER KONSTANTINOVICH.
1880—1930
IN A ROCKING-CHAIR
Oil on canvas pasted to cardboard. 32.2×59.5 cm

69. ZHUKOVSKY, STANISLAV YULIANOVICH.
1873—1944
INTERIOR
Oil on canvas pasted to cardboard. 70.5×49 cm

70 TRUBETSKOI, PAVEL PETROVICH. 1866—1938
PORTRAIT OF A MAN. 1899
Bronze. 41.5×16×14 cm

71 CHARPANTIER, FELIX.
Latter half of the 19th c. France
AN IMPROVISATOR. 1880s
Bronze. 41.5×16×14 cm

SOVIET ART

72 KUSTODIYEV, BORIS MIKHAILOVICH. 1878—1927
LANDSCAPE. 1917
Oil on canvas. 54×71 cm

73 VOLOKIDIN, PAVLO HAVRILOVICH. 1877—1936
WEARING A YELLOW HAT. 1923
Oil on canvas pasted to cardboard. 46×34 cm

74 KRICHEVSKY, FEDIR HAVRILOVICH. 1879—1947
SELF-PORTRAIT IN A COAT. 1924
Oil on wood. 123×89 cm

75 BURACHEK, MIKOLA HRIHOROVICH. 1871—1942
A PALACE. 1918
Oil on cardboard. 18×21.5 cm

76 GRABAR, IGOR EMMANUILOVICH.
1871—1960
A NEW FRAME (AT THE CONSTRUCTION SITE). 1928
Oil on canvas. 70×101.7 cm

77 MASHKOV, ILYA IVANOVICH.
1881—1944
STILL-LIFE. 1910s
Oil on canvas. 61×50 cm

78 SARYAN, MARTIROS SERGEYEVICH.
1880—1972
A ROAD. 1924
Oil on canvas. 48×57 cm

79 KOLESNIKOV, STEPAN FEDOROVICH. 1879—1955
AUTUMN. 1920s
Oil on canvas. 39.5×45.8 cm

80 FALK, ROBERT RAFAILOVICH. 1886—1958
PORTRAIT OF AN OLD WOMAN. 1932
Oil on canvas. 90.5×73 cm

81 TROKHIMENKO, KARPO DEMYANOVICH. 1885—1979
IN THE COLLECTIVE-FARM CLUB.
1936
Oil on canvas. 90×119 cm

82 TURZHANSKY, LEONARD VICTOROVICH.
1875—1945
A COTTAGE. A SUNNY DAY. 1930s
Oil on cardboard pasted to canvas. 63×104 cm

83 MASHKOV, ILYA IVANOVICH.
1881—1944
LILACS. 1930s
Oil on canvas. 69.5×60.5 cm

84 GERASIMOV, SERGEI VASILYEVICH. 1885—1964
A HALT AT THE CAUCASUS. 1938
Oil on canvas. 66.5×89 cm

85 MANEVICH, ABRAM ANSHELOVICH. 1881—1942
A STREET
Oil on canvas. 58×64.8 cm

86 RYAZHSKY, GEORGY GEORGIYEVICH.
1895—1952
PORTRAIT OF A GIRL (RAILWAY WORKER). 1939
Oil on canvas. 50×40.5 cm

87 OSMERKIN, ALEXANDER ALEXANDROVICH.
1892—1953
AT THE BUOY KEEPER'S. 1938
Oil on canvas. 70.5×92.7 cm

88 GRABAR, IGOR EMMANUILOVICH.
1871—1960
THE LAST SNOW. 1940
Oil on canvas. 78×95 cm

89 BOZHIY, MIKHAILO MIKHAILOVICH.
Born 1911
PORTRAIT OF A WOMAN. 1927
Oil on canvas. 80×60 cm

90 SVITLITSKY, HRIHORY PETROVICH. 1872—1948
TCHAIKOVSKY IN THE UKRAINE. 1947
Oil on canvas. 170.5×120 cm

91 TARKHOV, DMITRI MIKHAILOVICH.
1893—1948
OLD RUSSIA. 1945
Oil on canvas. 90×130 cm

92 ZHUKOV,
NIKOLAI NIKOLAYEVICH.
1908—1973
V. I. LENIN. 1970
Paper, colour lithograph.
40.6×52.5 cm

93 ROZHDESTVENSKY,
VASILY VASILYEVICH. 1884—1963
AUTUMN. 1940s
Oil on canvas. 85.3×64 cm

94, 95 ODAINIK,
VADIM IVANOVICH. 1925—1984
HARVESTING. 1949
Oil on canvas. 75×115 cm

96 BYALINITSKY-BIRULYA,
VITOLD KAETANOVICH.
1872—1957
THAW
Oil on canvas. 53×71 cm

97 YABLONSKA,
TETYANA NILIVNA. Born 1917
IN A GARDEN. 1957
Oil on canvas. 61.5×76.5 cm

98, 99 NEMENSKY,
BORIS MIKHAILOVICH.
Born 1922
ABOUT FRIENDS DISTANT
AND NEAR. 1953
Oil on canvas. 81×121 cm

100 NISSKY,
GEORGY GRIGORYEVICH.
Born 1903
MORNING ON THE VOLGA. 1954
Oil on canvas. 180×131 cm

101 POPKOV, VICTOR YEFIMOVICH.
1932—1974
YOUTH. 1957
Oil on canvas. 120×167 cm

102 PLASTOV,
ARKADI ALEXANDROVICH.
1893—1972
A GIRL WITH A DUCK. 1959
Oil on canvas pasted to cardboard.
70×50 cm

103 HLUSHCHENKO,
MIKOLA PETROVICH. 1901—1977
SUN IN MARCH. 1956
Oil on canvas. 80×100 cm

104 KLIMONOV,
VLADIMIR TROFIMOVICH.
Born 1925
THE YEAR OF 1919. 1958
Oil on canvas. 109×100 cm

105 SULIMENKO,
PETRO STEPANOVICH. Born 1914
SAILORS OF THE OCTOBER
REVOLUTION. 1963
Oil on canvas. 240×170 cm

106 MOISEYENKO,
YEVSEY YEVSEYEVICH. Born 1916
THE FIRST CAVALRY ARMY. 1957
Oil on canvas. 200×380 cm

107 HUYETSKY,
SEMEN NATANOVICH. 1902—1974
ON THE THRESHOLD OF LIFE.
1963
Oil on canvas. 186×260 cm

108 SEROV,
VLADIMIR ALEXANDROVICH.
1910—1968
SKETCH FOR THE PAINTING
JANUARY 23, 1924. GORKI. 1964
Oil on canvas pasted to cardboard.
68×49.5 cm

109 MESHKOV,
VASILY VASILYEVICH. 1893—1963
OLENY ISLAND. 1961
Oil on canvas. 32×105 cm

110 MELIKHOV,
HEORHY STEPANOVICH.
1908—1985
HANNUSYA. 1962
Oil on canvas. 80×100 cm

111 HOLEMBIYEVSKA,
TETYANA MIKOLAYIVNA.
Born 1936
CONGRATULATIONS ON THE
HIGH AWARD. 1962
Oil on canvas. 168×270 cm

112 KUGACH, YURI PETROVICH.
Born 1917
BEFORE THE HOLIDAY. 1962
Oil on canvas. 125×190 cm

113 LOMYKIN,
KOSTYANTIN MATVIYOVICH.
Born 1924
DEAR MOTHER OF MINE. 1964
Oil on canvas. 95×83 cm

114 ROMADIN,
NIKOLAI MIKHAILOVICH.
Born 1903
A GLIMMERING DAY. 1964
Oil on cardboard. 42×107 cm

115 PIMENOV,
YURI (GEORGI) IVANOVICH.
1903—1977
KALININGRAD. RAIN. 1968
Oil on canvas. 80×80 cm

116 PLAMENITSKY,
ANATOLY ALEXANDROVICH.
1920—1982
SERGEI YESENIN. 1968
Oil on canvas. 207×130 cm

117 TURANSKY,
ALEXANDER ALEXEYEVICH.
Born 1936
STRIDE OF THE CENTURY. 1971
Oil on canvas. 201×203 cm

118 VARENNYA,
MIKOLA ROMANOVICH. Born 1917
HUTSUL LAND, THE LAND
OF THE ARTS. 1975
Oil on canvas. 121.5×161 cm

119 CHUIKOV,
VALERY YEVGENYEVICH.
Born 1949
THE BAIKAL-AMUR RAILROAD.
KOMSOMOL MEMBER BICHKO,
BUILDER OF THE SETTLEMENT
OF URGAL. 1976
Oil on canvas. 185×100 cm

120 SHCHERBAKOV,
ALEXEI VSEVOLODOVICH.
Born 1927
KOLPACHNY LANE. 1970
Oil on canvas. 51×61 cm

121 MINAYEV,
VLADIMIR NIKOLAYEVICH.
Born 1912
PARIS. MONT-SOURIS PARK
(From *Along the Lenin Landmarks*
series). 1977
Pastel and tempera on paper.
47×49.5 cm

122 ANDREYEV,
NIKOLAI ANDREYEVICH.
1873—1932
LENIN AT THE ROSTRUM. 1920s
Tinted plaster. 29.2×33×32.5 cm

123 MANIZER,
MATVEI GENRIKHOVICH.
1891—1966
ZOYA KOSMODEMYANSKAYA. 1942
Bronze. 49.6×18×16.6 cm

124 KONENKOV,
SERGEI TROFIMOVICH. 1874—1971
A YOUNG PARTISAN FROM
SMOLENSK REGION. 1962
Marble. 72.2×64×39

125 KAVALERIDZE,
IVAN PETROVICH. 1887—1978
AT PEREKOP. 1957
Organic glass. 65.7×23.5×22 cm

126 ANIKUSHIN,
MIKHAIL KONSTANTINOVICH.
Born 1917
PORTRAIT OF ANTON CHEKHOV.
1961
Bronze. 49×23×29 cm

127 FAVORSKY,
VLADIMIR ANDREYEVICH.
1886—1964
SOLAR ECLIPSE (Illustration to
THE LAY OF IGOR'S HOST). 1950
Xylography, paper. 7.8×13 cm

128 YAKUTOVICH,
HEORHY VYACHESLAVOVICH.
Born 1930
ANNA AND YELIZAVETA,
DAUGHTERS OF YAROSLAV
THE WISE (Illustration to
YAROSLAV THE WISE, drama by
Kocherha). 1962
Paper, linocut. 48×32 cm, 29×23 cm

129 MALAKOV,
HEORHY VASILYOVICH.
1928—1979
THE BATTLE IS OVER (From
the series *KIEV IN THE TIMES
OF TRIAL).* 1967
Paper, cardboard, linocut.
111.1×79.6 cm

130 BASOV,
VENIAMIN MATVEYEVICH.
Born 1913
Illustration to Chekhov's story
DARLING. 1967
Gouache on paper. 56×70.5 cm

131 GUTMAN,
GRIGORY PETROVICH. Born 1916
EXCELLENT PUPIL SVETLANA.
1970s
Marble. 44.5×27×35 cm

132 FRADKIN,
MOISEI ZALMANOVICH. 1904—1974
MATRYOSHKA'S HOUSE. 1960
Paper, colour linocut. 26×28.5 cm

Сумской художественный музей

АЛЬБОМ

Автор-составитель
Побожий Сергей Иванович

Киев, «Мыстэцтво», 1988

(На украинском, резюме на русском и английском языках)

Макет та художнє оформлення *Н. Ю. Слєпцової*
Художній редактор *О. К. Школяренко*
Редактор тексту *Л. І. Масловська*
Редактор англійського тексту
О. К. Подшибіткіна
Технічний редактор *Г. К. Юркова*
Коректор *О. В. Керекеша*

Н/К

Здано на виробництво 14.07.87. Підписано до друку 03.05.88. Формат 60×90$^{1}/_{8}$. Папір крейд. Гарнітура звичайна нова. Друк високий. Умов. друк. арк. 22,0. Умовн. ф.-відб. 90,25. Обл.-вид. арк. 21,47. Тираж 25 000 пр. Зам. 7—2286. Ціна 7 крб. 10 к.

Видавництво «Мистецтво»,
252034, Київ-34. Золотоворітська, 11.

Головне підприємство республіканського виробничого об'єднання «Поліграфкнига», 252057, Київ, вул. Довженка, 3.

Сумський художній музей: Альбом / Авт.-упоряд.
С89 С. І. Побожій.— К.: Мистецтво, 1988.— 175 с.: іл.— Рез. рос. та англ. мовами.— (В опр.): 7 крб. 10 к. 25 000 пр.

В альбомі представлені кращі твори живопису, графіки, скульптури західноєвропейського, дореволюційного вітчизняного та радянського мистецтва. Розрахований на широке коло любителів образотворчого мистецтва.

С $\frac{4903000000—051}{М207(04)—88}$ Ку №10—36—1988

ББК 85.101л6я6